English Haitian Creole Medical Dictionary

Maude Heurtelou
Fequiere Vilsaint

Diksyonè Medikal Anglè Kreyòl

Educa Vision Inc.
7550 NW 47th Avenue,
Coconut Creek, FL 33073
954 725-0701
e-mail: educa@aol.com
web: www.educavision.com

English Haitian Creole Medical Dictionary

Reviewed by:
Ernst Mirville MD
Michel-Ange Hypolyte, Science Teacher
John D. Nickrosz, Medical Translator

Contents Lis Sijè

Introduction

The English / Haitian Creole Medical dictionary is developed as a tool to assist the health-care providers in meeting the need of Haitian patients that do not speak English.

It can be used by physicians, nurses, paramedics, orderlies, social workers, nutritionists, dieticians and patients in the context of a hospital, clinic, medical office, emergency situations, etc.

It provides the basic vocabulary and current phrases arranged by medical specialties. It also contains two indices: one with entries in English, and, the other in Haitian Creole along with their respective equivalences, arranged in alphabetical order.

We hope that this book will contribute to improve communication between medical professionals and their patients.

About the authors and reviewers

Maude Heurtelou is a public Health educator with *Children Medical Services*. She has developed health-related educational materials for various institutions in Haiti, Canada, the United States, Guatemala, Brasil etc. She has published over 100 documents in Haitian-Creole.

Féquière Vilsaint is a biologist, and publisher of materials in Haitian-Creole.

John D. Nickrosz is an interpreter, translator, educator and writer.

Ernst Mirville is a medical doctor, linguist and anthropologist.

Michel-Ange Hyppolite is a science teacher, literary critic and author of various publications in Haitian Creole.

Anatomy : *Anatomi*
Parts of the body: *Pati nan kò moun*

abdomen : vant

alveoli : alveyòl

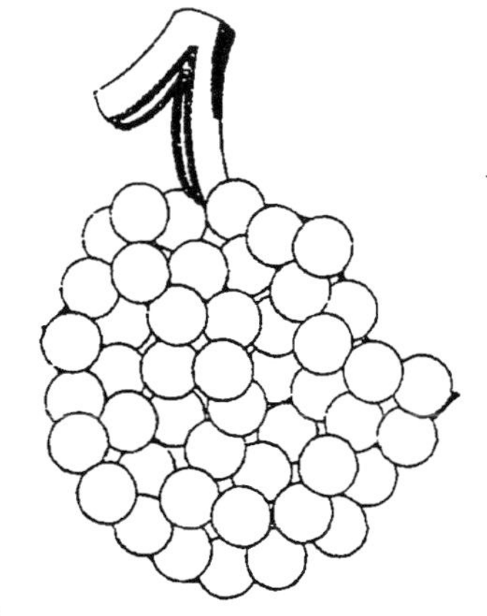

ankle : chevi, jepye

anus : twoudèyè

aorta : gwo kannal san wouj

appendix : apendis

arm : bra

armpit : anbabra, anba zèsèl

artery : atè, kannal san wouj

back : do

lower back : senti, bout anba do-a

backbone : kolòn vètebral, zo rèldo, zo chini-do

belly : vant

biceps : bibit, bisèp

birthmark : anvi

bladder : blad pipi, vesi

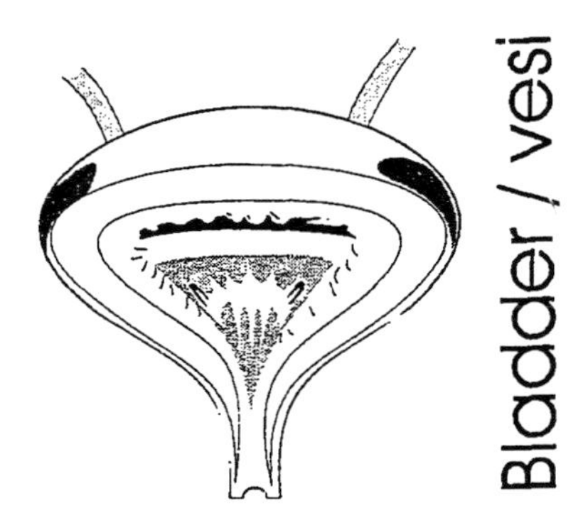

blood : san

blood transfusion : pran san

measure (to) blood pressure : pran tansyon

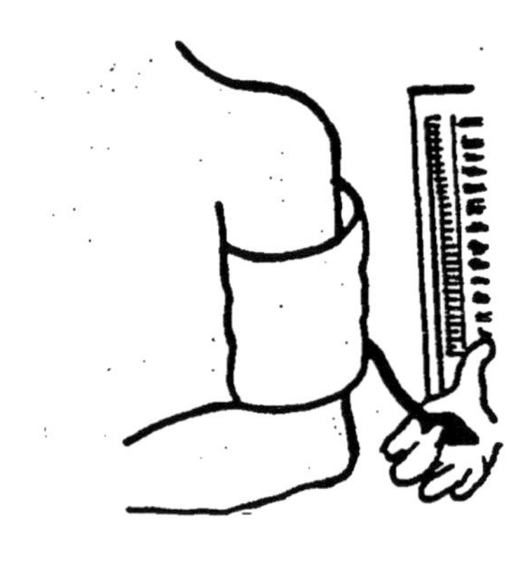

body : kò

bone : zo

bowels : trip

brain : sèvo

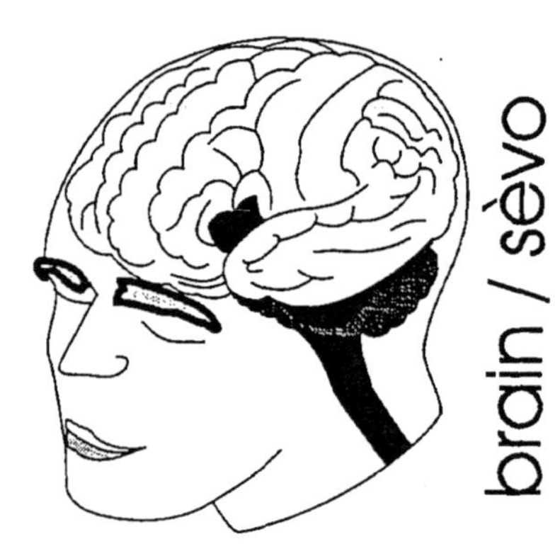

breasts : tete yo

bronchus : bwonch

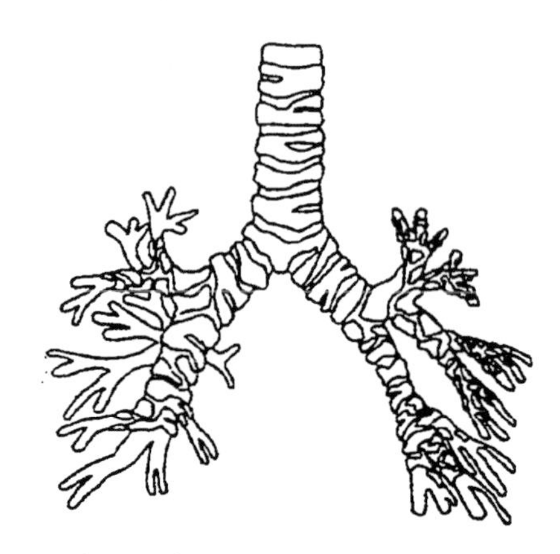

buttocks : dèyè, fès

calf : mòlèt

cartilaj : katilaj, zo mou

cervix : kòl matris

cheek : ponmèt

chest : kòf lestomak, pwatrin, pwatray

chin : manton

clitoris : krèk, langèt

coccyx : kòksis, zo koupyon

cornea : glas zye

crotch : fouk

diaphragm : dyafram

ear drum : tenpan, tande zòrèy

ear : zòrèy

elbow : koud

eye : zye, je

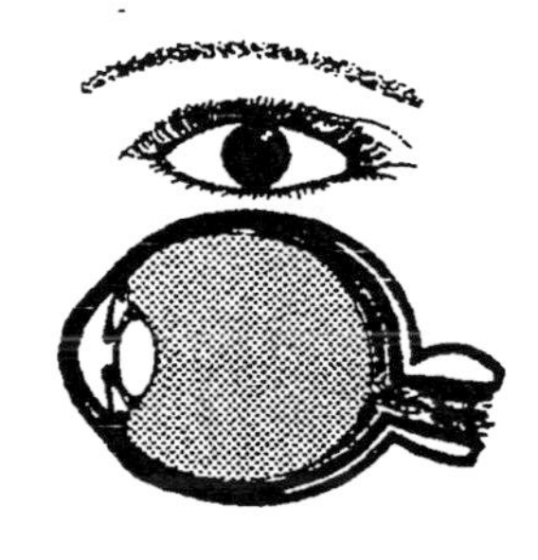

eyebrow : sousi

eyelash : plimje

eyelid : popyè, poje

face : figi

facial skin : po figi

fallopian tube : twonp falòp

fat : grès

feet : pye yo

femur : zo kuis

femur
zo kuis

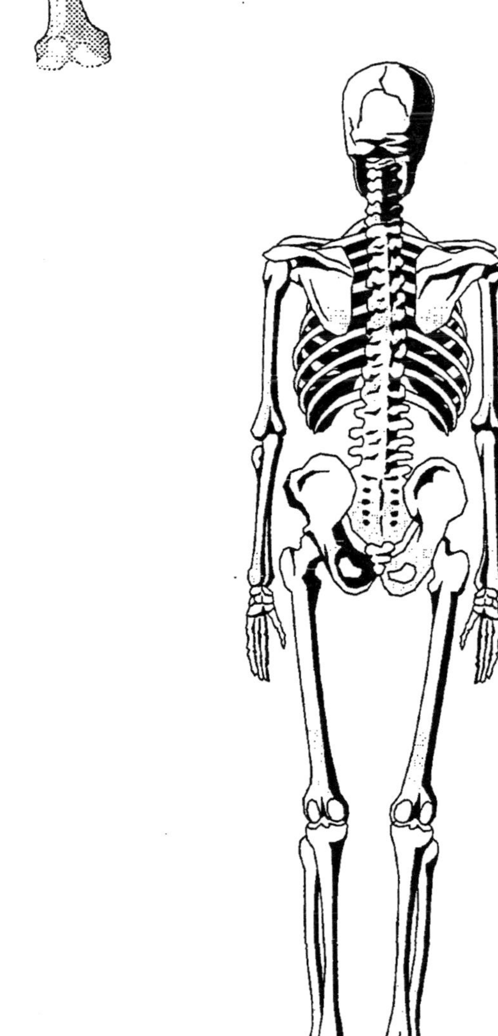

finger : dwèt

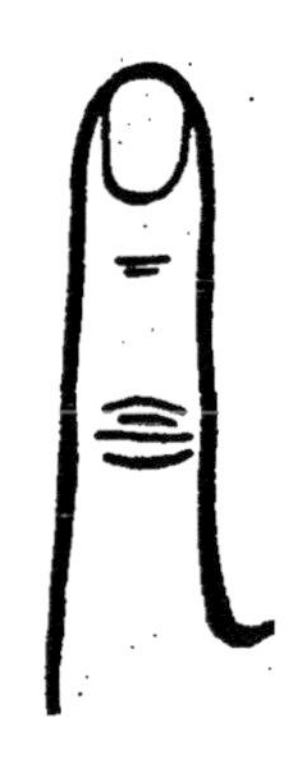

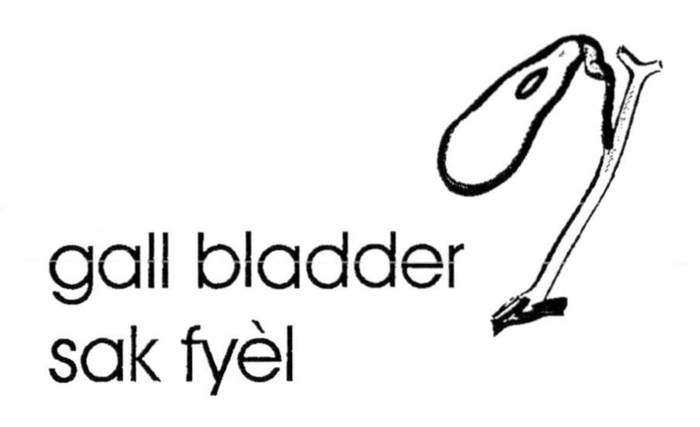

fingernail : zong

fist : pwen

flesh : chè, vyann

foot : pye

forearm : anvanbra

forehead : fwon

gallbladder : bład bil, sak bil, vezikil bilyè

genitals : pati sèks, pati jenital

gland : glann

groin : lenn

gum : jansiv

hair (head) : cheve

hair (of the body) : pwal, plim

hair (pubic) : plim, pwèl, pwal

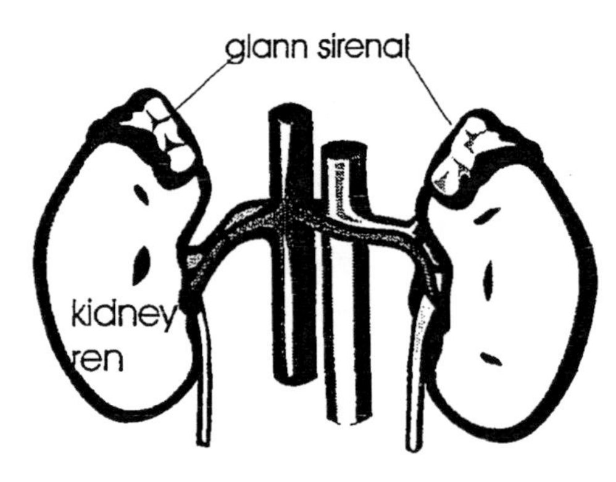

thyroid glands
glann tiwoyid

gland / glann

hand : men

palm of the hand : plamen

head : tèt

heart : kè

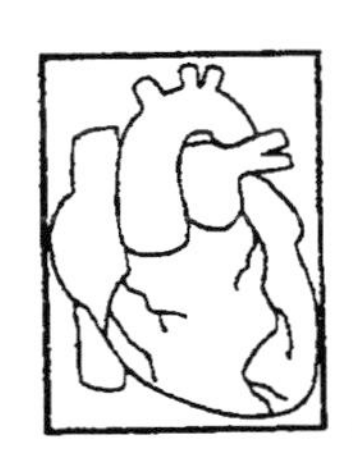

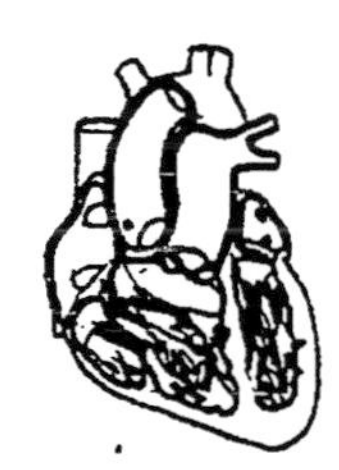

heart valve : vav kè

heel : talon

hip : ranch, senti

hormone : òmòn

intestines : entesten, trip

small intestines : ti trip

large intestines : gwo trip

jaw : machwa

joint : jwenti

kidney : ren

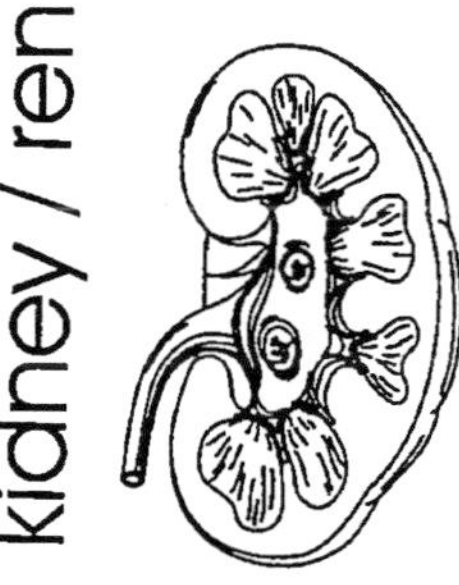

knee : jenou

kneecap : zo jenou, kakòn jenou

leg : janm

limb : manm

lip : po bouch

liver : fwa

lower back : senti

lung : poumon

parts of the lung : pati nan poumon

molar : dan dèyè

mouth : bouch

muscle : mis, miskilati

nail : zong

navel : lonbrit

neck : kou

nerve : nè

nipples : pwent tete
aureola of nipples : wonn tete

nose : nen

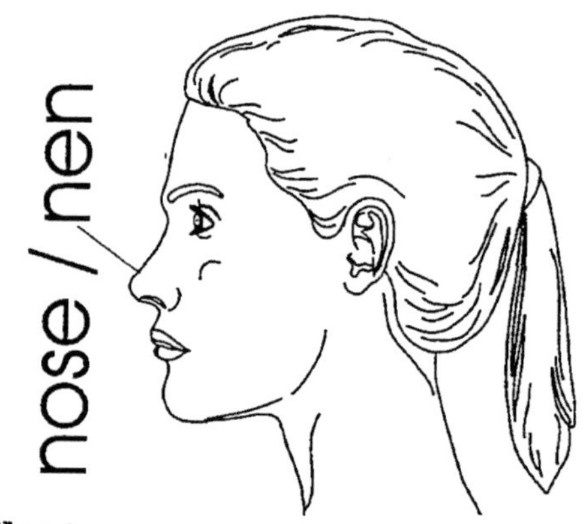

nostrils : twou nen

organ : ògàn

ovary : ovè, pòch ze, glann ki gen ovil (jèm fi)

palm : plamen

pancreas : pankreyas

pelvic area : zòn basen

pelvis : basen, pèlvis, bavant

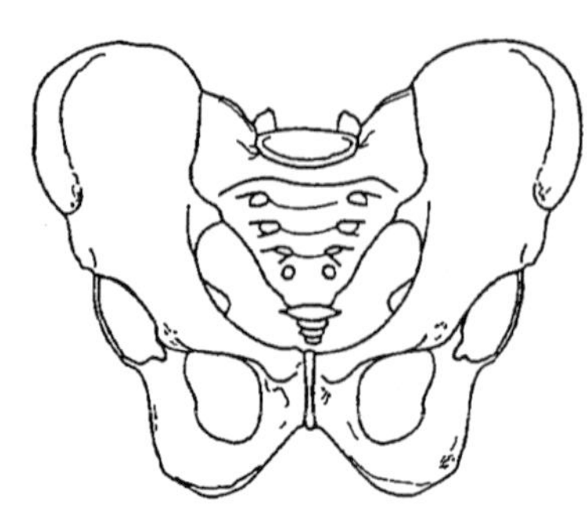

penis : pijon, penis, kòk.

prostate gland : glann pwostat

pulse : pou, batman kè

pupil : nwaje

rectum : gwotrip toupre toudèyè

rib : kòt, zo kòt

rib cage : kòf lestomac

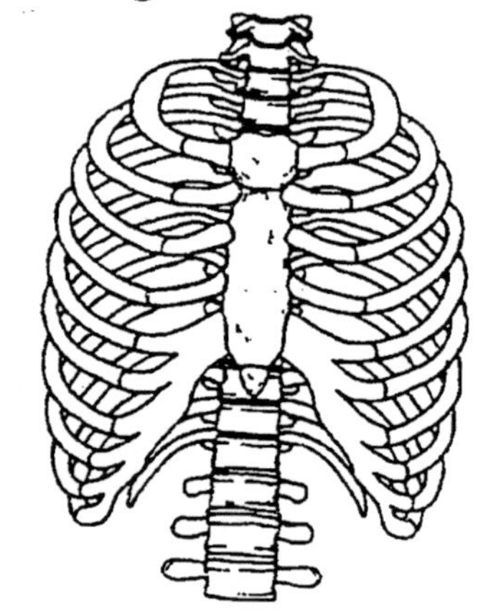

saliva : saliv, krache

scalp : potèt

scapula : omoplat

scrotum : pòch grenn

shin : jarèt

shoulder : zèpòl

side : kote, sou kote

skeleton : zo kò, eskelèt

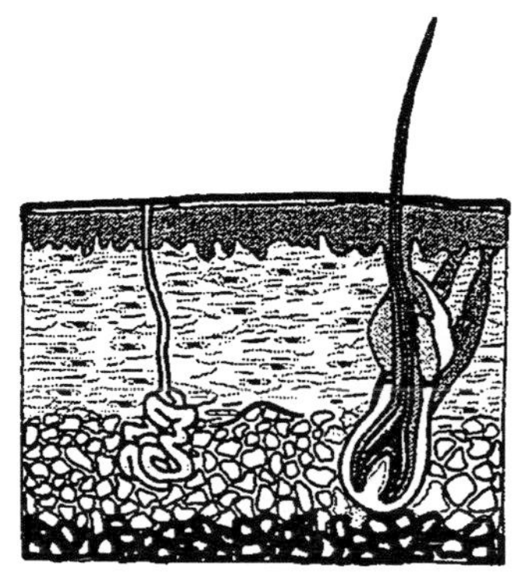

skin / po

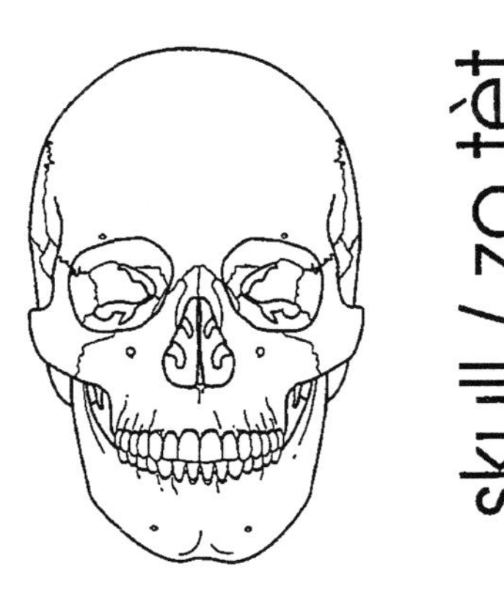

skull / zo tèt

skull : zo tèt

sole (of the foot) : plapye

sperm : dechaj

spine : zo rèldo

spit : krache

spleen : larat

sternum : estènòm, zo biskèt

stomach : lestomak

teeth : dan

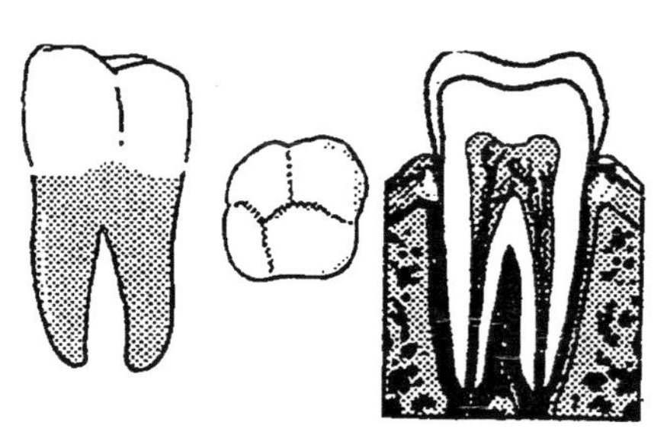

temple : tanp

tendon : tandon

testes : testikil

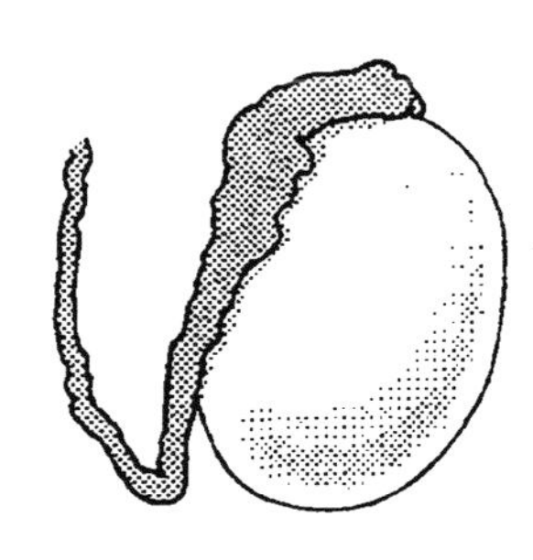

testicle : grenn, boul grenn, testikil

thigh : kuis

thorax : kòf lestomak

throat : gòj

thumb : dwèt pous

thyroid : glann tiwoyid

tissue : tisi

toe : zòtèy

toenail : zong pye

tongue : lang

tonsils : amidal

tooth : dan

triceps : miskilati ponyèt

umbilical cord : kòd lonbrit

umbilicus, navel : lonbrit

urinary system : sistèm pipi

urine : pipi

uterus : matris

uvula : lalwèt

vagina : bouboun, vajen

vein : venn san fonse

vertebral column : zo rèl do

vocal cord : kòd vokal, kòd vwa

waist : senti, tay

wrist : pwayè

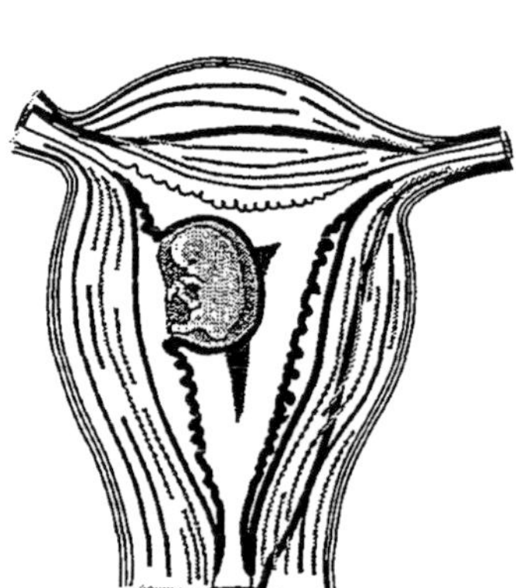

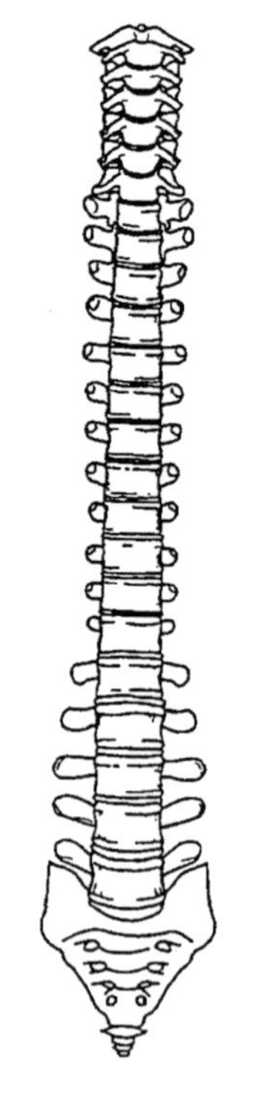

Emergency

Ijans

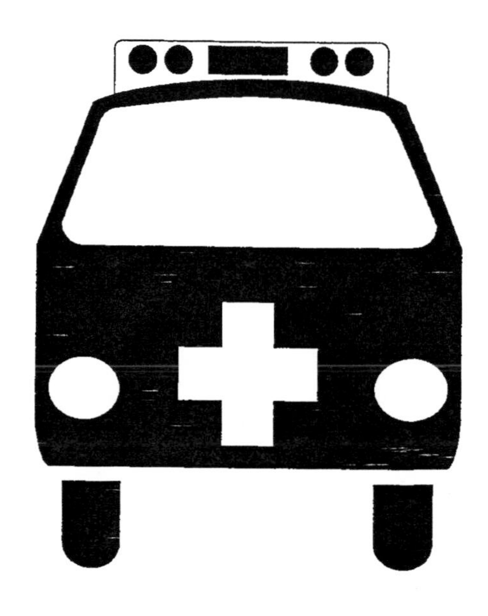

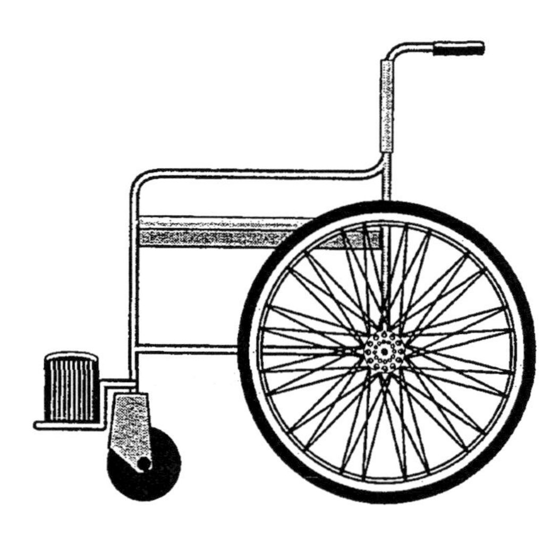

accident : aksidan

address : adrès

alive : vivan, anvi

allergies : alèji

Allergy : alèji
Does he/she have allergies? : Eske li fè alèji ak kèk bagay?

ambulance : anbilans

ankle : chevi, jepye

antibiotics : antibyotik

appointment : randevou

aspirin : aspirin

authorization : otorizasyon

back : do, dèyè do

Bandage : pansman, bandaj

Do not get the bandage wet : Pa mouye pansman an.

blood pressure : tansyon

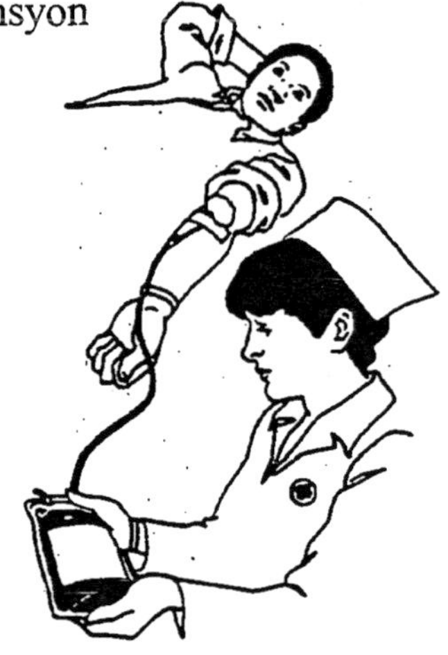

blood : san

blood pressure : tansyon
blood sample : priz san
blood test : tès san
blood transfusion : pran san

blood type : gwoup san, gwoup sangen

bloody : senyen, an san, beyen an san

bone : zo

You have broken a bone : Ou gen yon zo kase

You have fractured a bone : Ou gen yon zo fele

you have a broken arm : ou gen yon **bra** kase

You will need a cast for your broken **arm** : Ou ap bezwen yon aparèy pou bra ki kase a nan aparèy

Breath : souf, respirasyon

deep breath : respire fò
out of breath : pèdi souf, souf koupe, souf anlè
shortness of breath : souf kout
hold breath : kenbe souf
exhale : lage souf
inhale : pran souf, respire

breathe : respire

Try to breathe normally : Eseye respire nòmalman

breathing : respirasyon

burn : brile

You have been burned : Ou brile, ou boule

I am going to cover the burned area : Mwen pral kouvri zòn kote ou boule a.

Burn : brile, boule

How did you burn yourself? : Kijan ou fè boule?

Lard? Oil? : Grès? Luil?
Stove? : Recho. Fou
Oven? : Fou
Hot water : Dlo cho?
Fire? : Dife?
Acid? : Asid?

calm : kal, trankil, rete dousman
Please remain calm : Tanpri, rete kal

Cast : anplat, aparèy

Choking : trangle

He/she choked on food : Li trangle pandan li ap manje.

clinic : klinik

compress : konprès

consciousness : konesans

lose consciousness : pèdi konesans

regain consciousness : revni, reprann konesans

dead : mouri

death : lanmò

diabetes : dyabèt

drown : nwaye, neye

drunk : sou

He/she got drunk : Li te bwè alkòl epi li te vin sou.

pass out : endispoze

Faint : endispoze

Has he fainted? : Eske li te endispoze?

help! : sekou! Anmwe sekou!

I am here to help you : Mwen la pou mwen ede ou

hospital : lopital

We are going to take you to a **hospital (clinic)** : Nou ap mennen ou lopital (klinik)

hurt : fè mal

It will not hurt : Li pap fè ou mal.

Tell me if this hurts : Di mwen si sa a fè ou mal

identification : idantifikasyon

injury : aksidan, blese, frape

It is possible that you have broken your arm? : Se posib bra ou ka kase?

I.V. : sewòm

joint : jwenti

You have dislocated a joint : Ou dejwente

krutches : beki

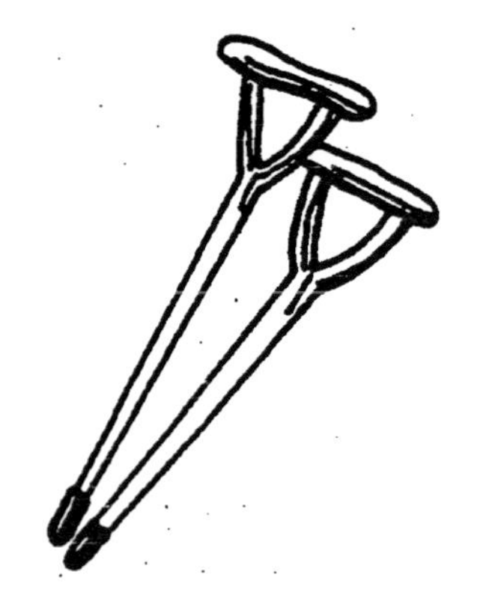

leg : janm

marital status : eta sivil (marye, divòse osnon selibatè)

Medicare form : fòm medikè

medications : medikaman
required medications : medikaman ou dwe pran
Is he/she taking any medications? : Eske li ap pran medikaman?
What kind? : Ki kalite
For the heart? : Pou maladi kè?
For the lungs? : Pou maladi poumon?
Insulin? : Ensilin?

medicine : medikaman, remèd
I will put you on medicine to make the pain **go away** : Mwen pral ba ou medikaman pou doulè a ale.

move : bouje
Please don't move : Tanpri, pa bouje

mouth to mouth ressucitation : bouch nan bouch

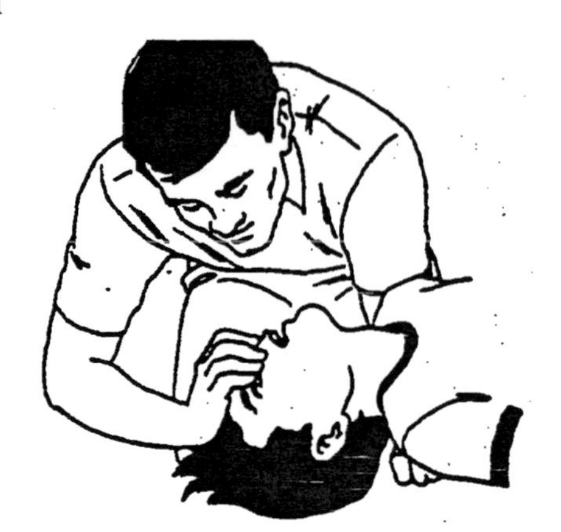

muscle : mis, miskilati
You have pulled a muscle : Ou gen yon pyès miskilati ki dechire

naked : toutouni

name : non
last name : siyati

nauseated : kè plen, anvi vomi

neck : kou

pain : doulè
pain medications : medikaman pou doulè
Do you feel pain anywhere? : Èske gen kote ki ap fè ou mal?

patient : pasyan, malad

permission : pèmisyon
permission (consent) form : fòm pou bay pèmisyon

physician : doktè
referring physician : doktè ki bay rekòmandasyon

pregnant : ansent

Is she pregnant? : Eske li ansent?

private doctor : doktè prive

problem : pwoblèm

registered : enskri

shot : piki

snake : koulèv

Was he/she bitten by a snake? : Eske te gen yon koulèv ki pike l?

stitch : pwen kouti

You will need stitches for your cut : Ou ap bezwen koud pou blesi a.

You must keep the stitches dry : Fòk ou kenbe kouti a sèk, pou li pa mouye

Return in ___ days to have the stitches removed : Retounen nan ____ jou pou yo dekoud ou.

telephone number : nimewo telefòn

tetanus : tetanòs

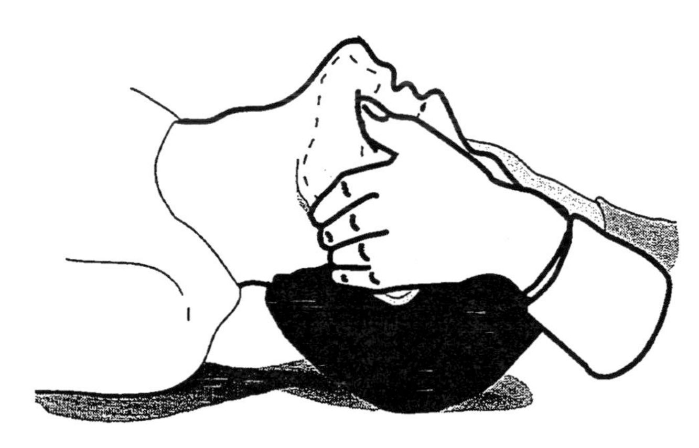

unconscious / endispoze

urine : pipi

urine test : tès pipi

What happend to him/her? : Kisa ki pase li?

He/she complained of pain and fell **to the floor** : Li te ap plenyen di li gen doulè epi li tonbe atè a.

Wound : blesi

You have been wounded : Ou blese

I am going to apply pressure to stop **the bleeding** : Mwen pral peze sou blesi a pou mwen ka rete san an.

You have been cut : Ou blese

You have a laceration : Ou gen yon pati ki dechire.

You have a gash : Ou gen yon [kote] ki koupe

You have a puncture wound : Ou gen yon [kote] ki pike

You don't need stitches : Ou pap bezwen pwen kouti.

Return at once if the wound becomes **painful, red or swollen** : Tounen tousuit si blesi a fè ou mal, si li vin wouj osnon si li anfle.

wrist : pwayè

You must keep the wound clean at all times : Se pou ou kenbe blesi a pwòp toutan.

Systems / Sistèm

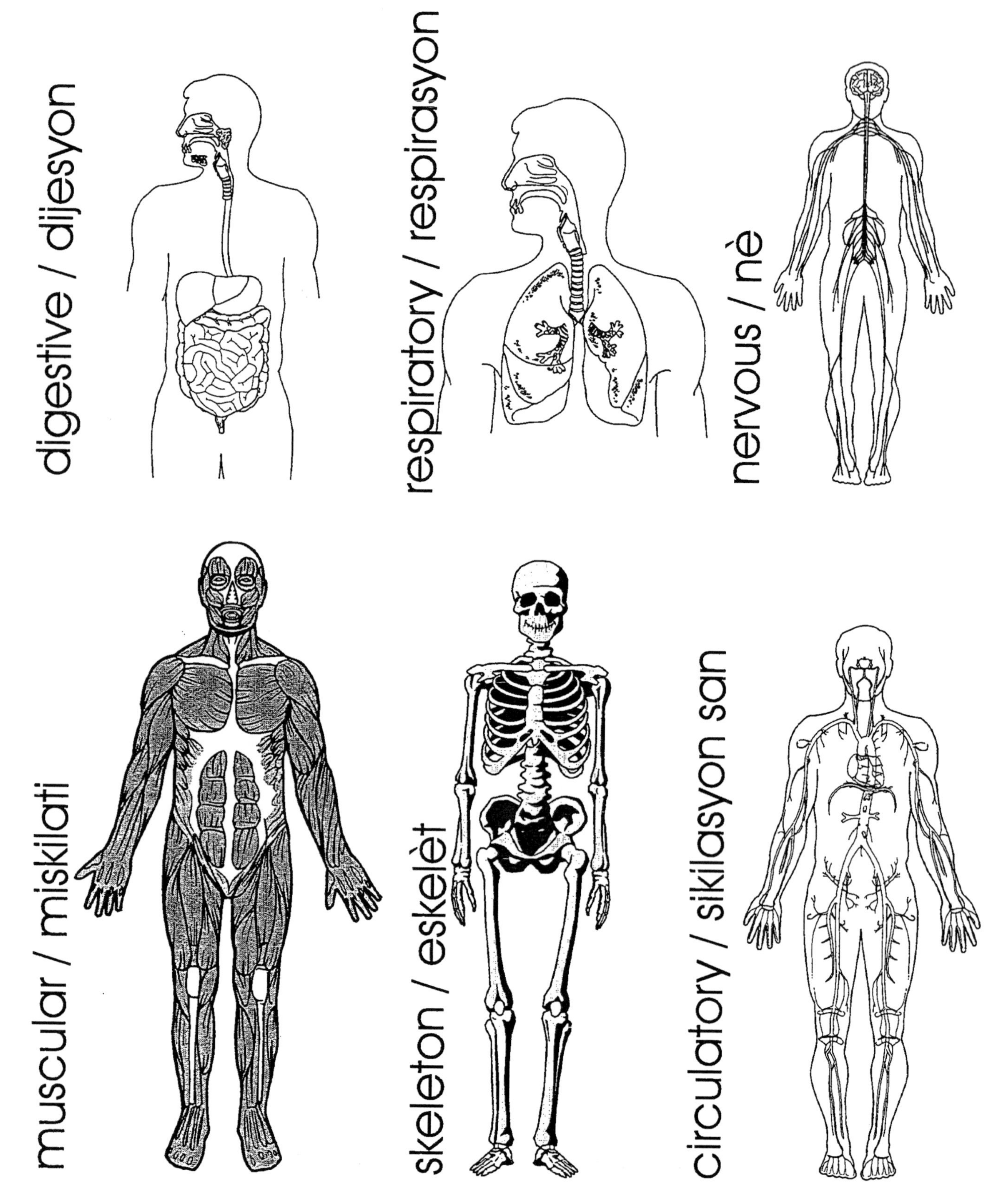

Pediatrics

Pedyatri

afraid : pè, gen laperèz, kaponnen

age : laj
    How old are you?: ki laj ou?

appointment : randevou

baby : bebe, tibebe

baby bottle : bibon, bibwon

baby oil : luil bebe

bath towel : sèvyèt deben

bathtub : basen, basinèt

bed : kabann
    bedpan : vaz
    bedwetter : pisannit
    bed sore : maleng kabann

birth : nesans, fèt

blankets : lenn

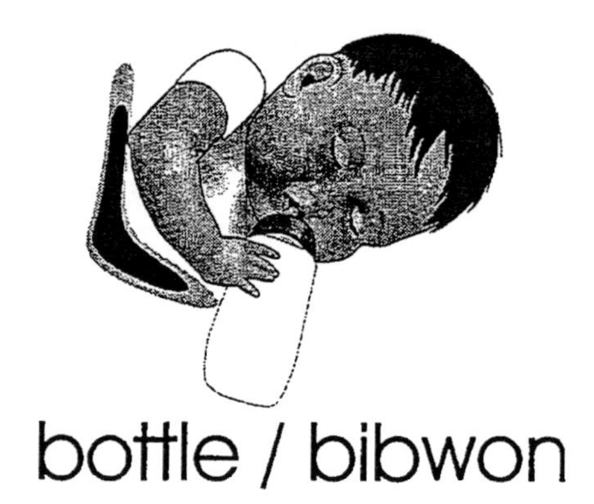

bottle / bibwon

breast : tete
breast feed : bay tete

burp (v.) : rann gaz

care : swen
good care : swenyay, bon swen
take care of : pran swen, okipe

check : tyeke, egzaminen

choke : toufe, trangle
choking : toufe

clothes : rad

colic : kolik

color : koulè

come back : retounen ankò

come : vini

comfortable : konfòtab, alèz

complain : plenyen

complaint : plent

constipation : konstipasyon

contagious : atrapan, kontajye

cord : kòd

cotton balls : boul koton wat

cotton : koton

cough (n.) : tous
whooping cough : koklich

cranky : chimerik

cream : krèm pou po

crib : bèso

cross-eyed : je vewon

cry : kriye

cure : swen, tretman

cured : geri

daugther : pitit fi

day : jou

desitin : krèm desitin

diapers : kouchèt, panmpèz

diarrhea : dyare

diet (n.) : rejim, dyèt

dilute : dilye, melanje, deleye

discuss : diskite

disease : maladi

dissolve : deleye

dosage, dose : dòz

drool : bave

dropper : konngout

drops (n.) : gout

dry (v.) : seche

dysentery : kolerin, dyare

ear infection : enfeksyon nan zòrèy

ear : zòrèy

eczema : egzema

enriched : anrichi, ki gen vitamin anplis

epidemic : epidemi, lè anpil moun gen menm maladi

exam : konsiltasyon

examine : konsilte

family : fanmi

feces : poupou

fontanelle : fontenn tèt, fontanèl

fever : lafyèv

formula : lèt nan bwat pou tibebe

gauze : twal gaz

get up : leve

glove : gan

habit : abitid, mani

hard : di

health : sante

healthy : ansante

hold : kenbe

hurt (a., v.): blese

infected : enfekte

infection : enfeksyon

irritable : chimerik, rechiya

itch : gratèl, pikotman
itching sensation : demanjezon

jaundice : lajonis

lethargic : kò kraze, san kouray

limp (v.) : bwete

lotion : losyon, krèm

lukewarm : tyèd

measles : lawoujòl

measure : mezire

medicine : medikaman

mother : manman

naked : toutouni

nap : kabicha, dòmi lajounen

neck : kou

need : bezwen

night : nuit

nipple (bottle) : tetin
nipple (breast) : pwent tete

nourishing : nourisan, ki gen fòtifyan ladan l

nurse : enfimyè

nursery : gadri, kote yo gade timoun piti

oil : luil

open : louvri, dekachte

pacifier : sison

pain : doulè

parasite : parazit

parent : paran, fanmi

pediatrician : pedyat

pee (v.) : pise, fè pipi

petroleum jelly : vazlin

ear piercing : pèse zòrèy

pill : grenn, medikaman

pillow : zòrye

pink : woz

pound : liv

pour : vide

powder : poud, an poud

premature : prematire, anvan tèm

prenatal : anvan tibebe a fèt

puberty : peryòd kwasans, lè timoun pral fòme

pull : rale

purify : pirifye

Q-tips : bwa pou netwaye zòrèy

raise : soulve

rash : gratèl, lota

relief : soulajman

scabies : gal, lagal

sensitive : sansib

sheets : dra

shirts : chemiz

skinny : mèg

sleep : dòmi

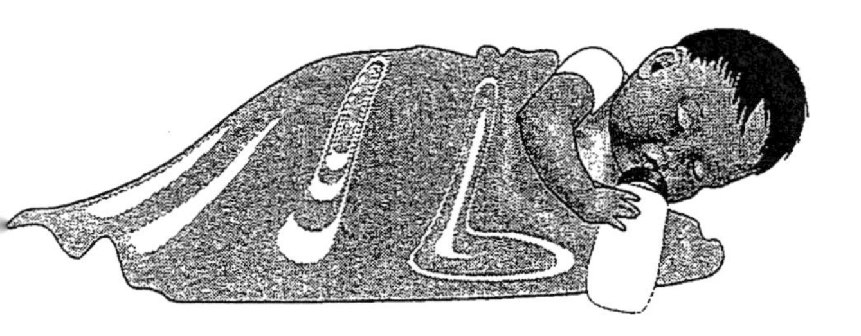

sleepy : ki gen dòmi nan je

small : piti

soft : mou

son : pitit gason

spoonful : kiyè plen

stool : poupou

sweater : chanday

tablespoon : kiyè atab, gwo kiyè

tears : dloje

teaspoon : kiyè te

teething : fè dan, dantisyon

temperature : lafyèv / tanperati

test : egzamen

thermometer : tèmomèt

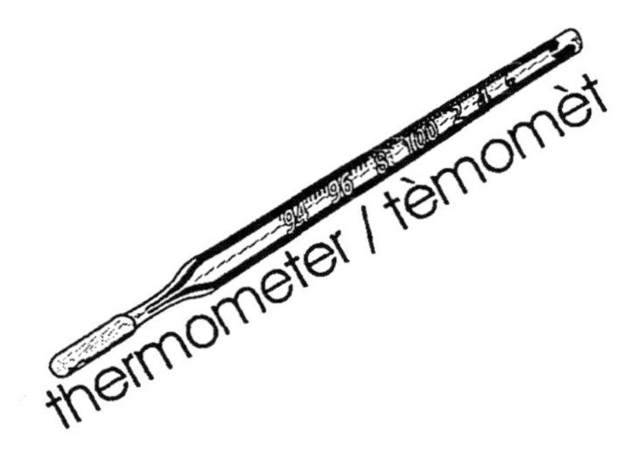

tongue : lang

twin : jimo, marasa

umbilical cord : kòd lonbrit

uncircumcised : ki pa sikonsi

underdeveloped : ki pa devlope byen, chetif, piti, rasi

undernourished : malnouri, malmanje

underweight : leje, mèg, ki pa peze ase

vaccinate : pran vaksen, bay vaksen

vaccine : vaksen

vaseline : vazlin

vitamin : vitamin, fòtifyan

vomit : vomi, rejte

wash : lave

weaning : sevraj, sevre

worm medicine : remèd vè

worm : vè

x-ray : radyografi

murmur : bri nan kè

Did he (she) have a heart murmur at **birth?** : Eske doktè te di ou li te fèt ak yon bri nan kè?

sweat : swe

Has he (she) ever had cyonosis? : Eske li janm vin tou ble?

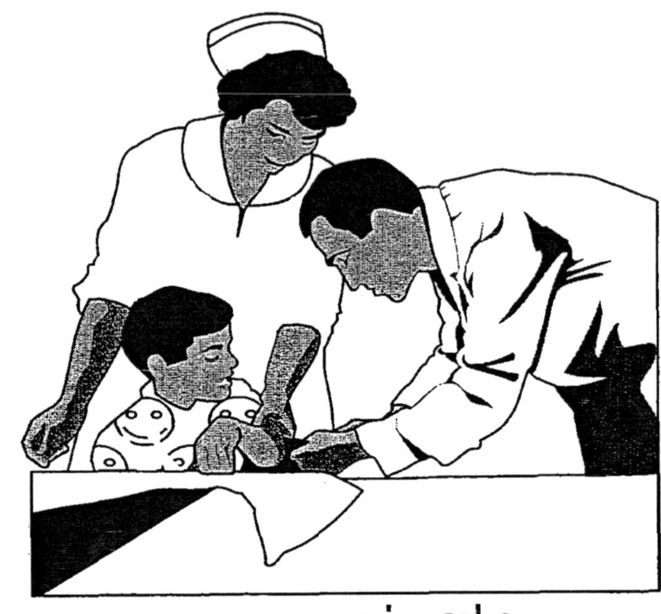

vaccinate
bay vaksen

Cardiology

Kadyoloji

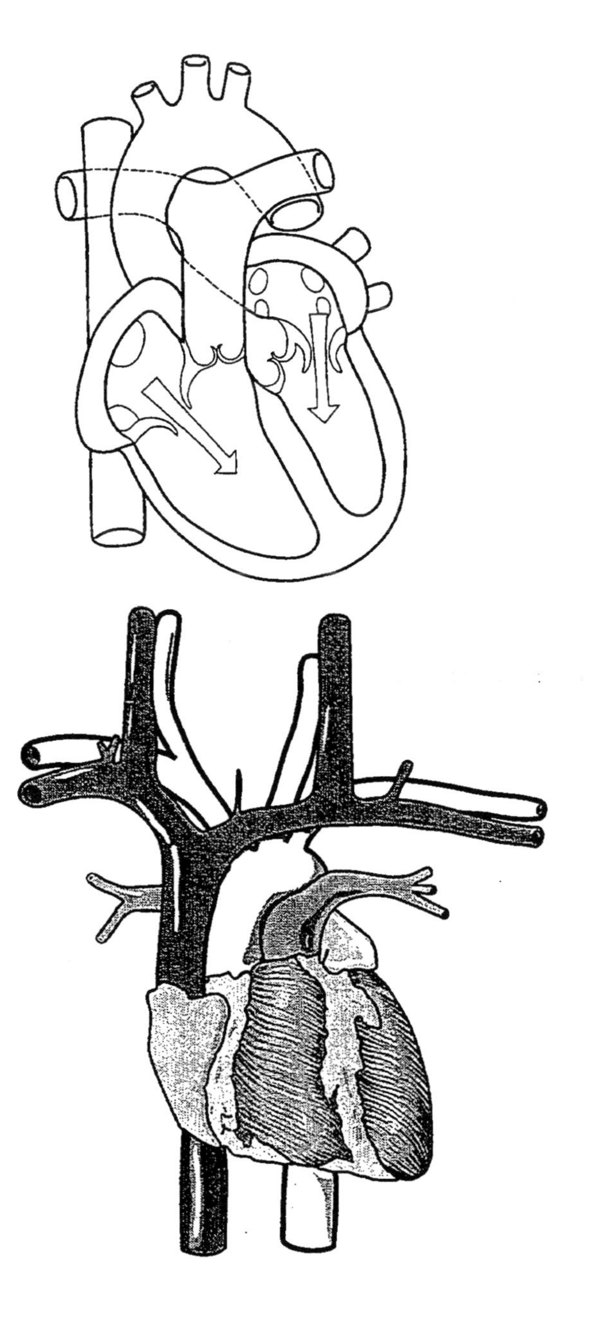

angina: doulè nan kè

artery: atè, kannal san wouj

auricle: oreyèt, (pati nan kè).

balloon surgery: operasyon pou debloke kannal san ak yon ti balon

blockage: blokaj

blood : san

blood vessel : kannal sikilasyon san (venn ak atè)
artery: atè, kannal san wouj
vein: venn, kannal san fonse
blood circulation: sikilasyon san
blood pressure: presyon san, tansyon
blood transfusion: transfizyon san
blood vessels: tib san tankou venn ak atè
red blood cells (erythrocytes) : globil wouj (selil san ki wouj)
White blood cells (leukocytes) : globil blan (selil san ki blan)

blood pressure : tansyon
high blood pressure: tansyon wo

capillary vessels: ti kannal sikilasyon san (ti venn ak ti atè piti)

cardiovascular cardiopulmonary
resuscitation (CPR): resisitasyon, kè ak poumon yon moun ki rete, fè kè a retounen bat ankò epi fè poumon an mache, pou fè moun nan revni.

cat scan: Teknik ki montre andedan kò

moun

catheter: sonn, katetè

catheterization : tib pou fè likid pase, katetè

chest : pwatrin, kòf lestomak

Have you ever had chest pain? : Eske ou konn genyen doulè nan pwatrin anvan?

Is the chest pain burning or pressure? : Eske se yon doulè tankou yon bagay ki ap brile ou osnon tankou yon bagay ki ap peze ou?

What brings it on? : Kisa ou panse ki fè sa?

What makes it better? : Kisa ou konn fè pou amelyore sa?

Do you get chest pain when you are **resting?** : Eske ou gen doulè anba kè lè ou ap repoze, lè ou kal?

Is the pain stronger when you are **working**: Eske doulè a pi di lè ou ap fè travay?

Does the pain radiate to the back or **to the left arm?** : Eske ou santi doulè a nan tout do ou osnon nan zòn bra gòch ou ?

choke: toufe, mal pou respire, trangle.

cholesterol: kolestewòl, (grès ki kab bouche kannal san).

clot: boul san kaye, kayo san

convulsion: kriz.

CPR : resisitasyon kè ak poumon yon moun ki rete, fè yo mache ankò, fè moun nan revni.

diaphragm: dyafram (miskilati ki separe vant ak kòf lestomak)

easy fatigability: fatige fasil, kò kraz

electrocardiogram: elektwokadyogram (teknik pou wè kijan kè a ap mache).

esophagus: gòjèt, ezofaj, tib kote manje pase pou li ale nan lestomak.

exhaustion: gwo fatig

faint: endispoze

fat: gwo, gra

fatigue, to be tired: fatige

fingernails: zong dwèt

For how long? : Pou konbyen tan?

Have you noted ankle swelling? : Eske ou te remake jepye ou te anfle?

headache: maltèt

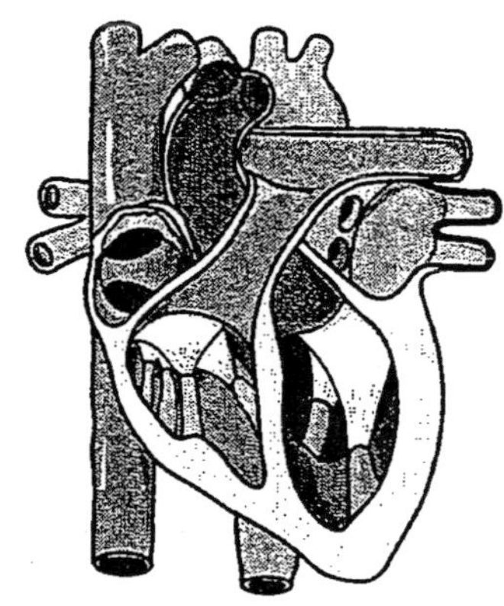

heart / kè

heart: kè

heart attack: kriz kadyak

heart condition: pwoblèm kè, maladi kè

heart disease: maladi kè

heart pounding or racing: batman kè ki fò

heart valves: vav kè ki kontwole pasaj san.

heartbeat : batman kè

skipped heartbeats : batman ki pa regilye

Do you notice any irregularity of **heart beat or any batman kè?** : Eske ou te santi kè ou pa bat nòmal osnon ou genyen palpitasyon?

Do you get short of breath? : Eske ou konn mal pou ou respire?

heavy : lou

heaviness sensation: santi kò-ou lou

How many pillows do you use at night? : Konbyen zòrye ou mete anba tèt ou leswa?

How often? : Konbyen fwa?

lips: po bouch

lungs: poumon

M.R.I. (Magnetic Resonance Imaging) : Teknik pou wè anndan kò moun ak aparèy elektwonik.

marked pallor: blèm anpil

miocardial infarction: Kriz kè, enfaktis miskilati kè.

neck : kou

nose : nen

nosebleed: nen senyen

numbness: pa santi anyen

out of breath : pèdi souf.

oxygen: oksijèn

pacemaker: pesmekè, machin pou fè kè bat

nòmal.

pain : doulè
Do you feel pain when you are **resting?** : Eske ou gen doulè lè ou ap repoze?
Does the pain get stronger when you **are working**: Eske doulè a pi di lè ou ap travay?
Does the pain radiate to the back or **to the left arm?** : Eske ou santi doulè a nan tout do ou osnon nan zòn bra gòch ou ?

palpitation: batman kè byen fò.

pant: respire vit, fè efò pou respire.

phlebitis: flebit, enflamasyon venn.

platelets: pati nan san ki la pou fè san an kaye.

pulse : pou, batman kè

rapid heartbeats : batman kè rapid

shortness of breath : respire anlè anlè, souf kout.
How many blocks can you walk before you must stop due to fatigue or **shortness of breath?** : Konbyen kafou ou ka mache anvan ou oblije poze paske ou pa ka respire byen?

skin: po

squeezing sensation : sansasyon kè sere

Stair : eskalye
tired when climbing stairs : bouke lè ou monte mach eskalye
Can you walk up a flight of stairs **without stopping?** : Eske ou ka monte tout yon etaj eskalye san ou pa poze?

stroke : estwok, konjesyon nan sèvo, emoraji nan sèvo.

suffocate : sifoke
sudden attack of suffocation at night : atak etoufman sibit nan nuit.

swollen : anfle

thrombosis : twonbwoz, san kaye nan venn.

tired : fatige
tired when walking : bouke lè ou ap mache
tired when climbing stairs : bouke lè ou monte mach eskalye

trachea: trache, tib ki ale nan poumon.

transfusion : pran san
blood tranfusion : pran san, transfizyon san

transplant : ranplase ògàn pa ou ak ògàn yon lòt moun osinon ak yon ògàn atifisyèl.

vein: venn, venn san fonse

ventricle : vantrikil, pati nan kè.

white blood cells (leukocytes) : selil san ki blan

X- Ray : radyografi

Digestive System :

Sistèm Dijestif

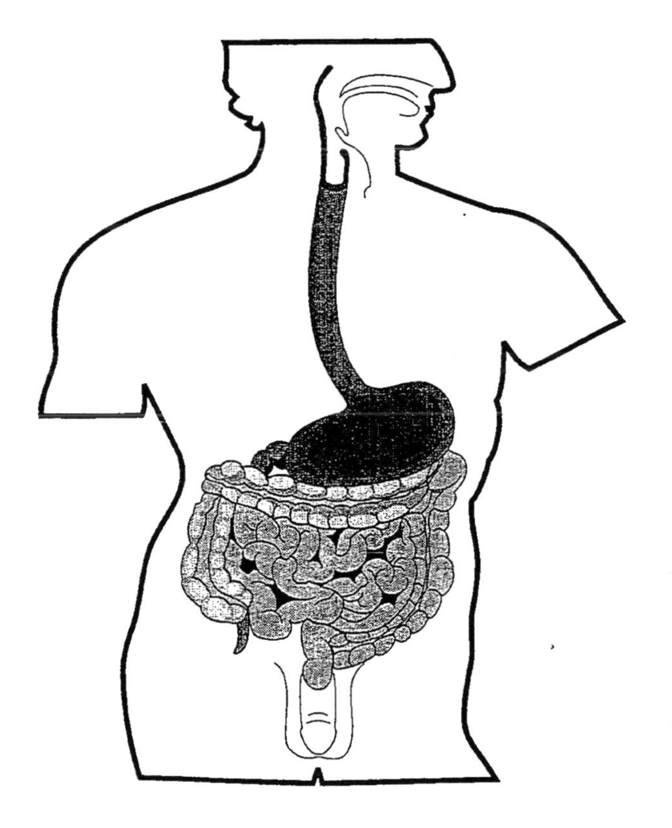

abdomen : vant
abdominal pain : vant fè mal, doulè nan vant

amoeba : amib, mikwòb

appetite : apeti

bedpan : vaz, potchanm
Do you need a bedpan? : Eske ou bezwen yon vaz?

belly : vant
belly pain : doulè nan vant

bile : bil

bleeding : senyen, emoraji
rectal bleeding : poupou san, pase san nan dèyè

bloated : gonfle, anfle, plen

blood : san
blood in the stool : san nan poupou

bowel : trip
bowel movement : fè poupou, ale nan watè
bowel perforation : trip pèse
obstruction in the bowel : trip bouche.
What color is your bowel **movement?** : Ki koulè poupou ou?
How many times have you had a **bowel movement today?** : Konbyen fwa ou poupou jodi a?

burp : rann gaz

cancer : kansè

colic : kolik, vant fè mal

colonoscopy : egzamen pou wè andedan gwo trip la

constipated : konstipe
 constipation : konstipasyon
 Are you constipated? : Eske ou konstipe?

cough (v.) : touse

cramps : doulè, kranp vant

Crohn's disease : maladi Kwonn, enfeksyon nan entesten.

diarrhea : dyare
 Do you have diarrhea? : Eske ou gen dyare?
 Is the diarrhea with mucus? : Eske dyare a vini ak glè?
 Does the diarrhea have a foul smell? : Eske dyare a santi move?
 Can't keep anything down : pa kab kenbe manje nan lestomak.

Diet : dyèt, rejim
 high calorie diet : dyèt ki gen anpil kalori.
 protein diet : dyèt ki gen anpil pwoteyin
 regular diet : manje regilye, dyèt nòmal
 soft diet : dyèt mòl
 liquid diet : dyèt likid

dizziness : tèt vire, toudisman

drink (n.) : bwason
drink (v.) : bwè

eat : manje
 What did your child eat in the last **twenty-four hours?** : Kisa pitit ou a manje depi yè?

endoscopy : egzamen pou gade andedan kò moun, andoskopi.

enema : lavman
 barium enema : lavman ak baryòm, lavman barite

Have you ever had a barium enema? : Eske ou janm pran lavman barite?

enteral feeding : mete manje dirèkteman nan lestomak
 enteral pump : ponp pou mete manje dirèkteman nan lestomak

esophageal bleed : gòjèt ap senyen, emoraje lezofaj

fasting : ret san manje, fè jèn

flu : grip sezon ki mache ak rim epi ak lafyèv
 flu like symptoms : sentòm tankou ou ta gen yon grip sezon

food : manje
liquid food : manje likid
 solid food : manje solid
 What foods disagree with you? : Ki kalite manje ou pa ka tolere?

gas : gaz
 Do you get gas pain? : Eske ou genyen gaz kenbe ou?
 Do you burp a lot? : Eske ou rann anpil gaz?

gassy : gen anpil gaz

GI tube : tib lezofaj (pou met manje dirèktaman nan lestomak)

heart burn : brili lestomak, dlo si sou lestomak, lestomak brile

hemorrhoids : emowoyid
rectal bleeding : pase san nan poupou, emoraji nan dèyè
Do you have hemorrhoids? : Eske ou gen emowoyid?
Do you have bleeding hemorrhoids? : Eske emowoyid ou a ap senyen?
Do you have rectal bleeding? : Eske dèyè ou ap bay san?

ileectomy : operasyon pou retire moso nan trip.

indigestion : endijesyon, gonfleman, dijere mal, gonfle, move dijesyon.
Do you get hearburn? : Eske ou santi lestomak ou ap brile ou?
Do you have frequent stomach **aches?** : Eske ou genyen lestomak fè mal souvan?
Do you have indigestion often? : Eske ou genyen endijesyon souvan osnon èske ou genyen difikilte dijere manje souvan osnon èske ou gonfle souvan?

mucous : glè
mucous stool : poupou ki gen glè.

nausea : kè plen, anvi vomi.

obstruction : bouche
obstruction in the bowel : trip bouche.

pain : doulè
Where is your pain? : Ki kote ou santi doulè a?
Can you describe the pain? Is it... : Eske ou ka di kijan doulè a ye? Eske li...
strong : fò
sharp : ap tranche ou
burning : brile
crampy : ba ou sakad
running/radiating : kouri, deplase
How long does the pain last? : Konbyen tan doulè a dire?
What makes it worse? : Kisa ki fè li vin pi mal?
to cough : touse
to eat : manje
to have a bowel movement : al nan watè
sex : sèks
have sex : fè sèks, fè bagay
moving : deplase, bouje
What makes it better? : Kisa ki ba ou soulajman?

parasites : parazit, vè.

pass gas- to feel gassy : rann gaz, santi anpil gaz.

psychomatic symptoms : maladi imajinè, ki pa gen koz fizik.

Sample : echantiyon
stool sample : echantiyon poupou

stools : poupou.
blood in the stool : san nan poupou
stool sample : echantiyon poupou.
mucous stool : poupou ki gen glè.
How are your stools? : Kijan poupou ou ye?
Are your stools hard, soft, bloody, **black?** : Eske poupou ou di, mou, gen san ladan li osnon èske li nwa?

stress : sou tansyon.

swallow : vale

ulcer : ilsè, blesi

urine : pipi
Have you had a change in your **urine?** : Eske ou remake yon chanjman nan pise ou?

vomit : vomi
vomiting : vomi
Are you going to vomit? : Eske ou pral vomi?
Did you vomit? : Eske ou te vomi?
Do you have blood in your vomit?: Eske ou wè san nan vomi an?

worms : vè
tape worms : vè solitè

X-ray
Have you ever had a barium X-ray? : Eske ou janm fè yon radyografi ak baryòm?

Gynecology

Jinekoloji

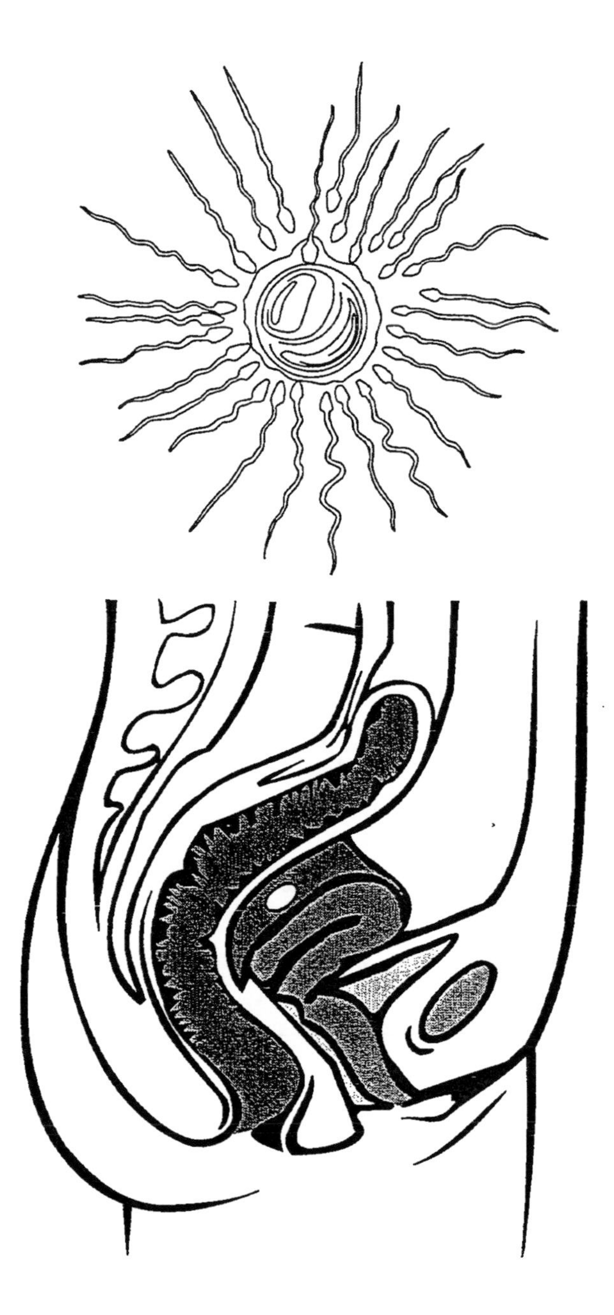

abortion : avòtman

Do you want an abortion? : Eske ou vle fè avòtman?

after birth : apre akouchman

alcohol : alkòl

drink alcohol: bwè alkòl

allergies : alèji

anesthesia : anestezi

antibiotics : antibyotik

appetite : apeti

loss of appetite : pa gen apeti, apeti koupe.

backache : doulè nan do, maldo

birth : lè timoun fèt, nesans

born vaginally : fèt nòmalman, fèt nan pasaj nòmal

breech position : dèyè timoun nan parèt avan

multiple births : plizyè timoun ki fèt ansanm

birth control : plannin, kontwòl sou kantite pitit ou vle fè.

bladder : blad pipi, vesi.

bleeding : senyen

blood : san

blood diseases : maladi nan san

blurred vision : wè twoub

bottle feed : manje nan bibwon.

breast : tete

breast-feed : bay tete

breast pump : ponp pou retire lèt nan tete.

breathe : respire

Open your mouth and breathe : Louvri bouch ou epi respire.

breech : dèyè timoun nan parèt anvan

breech birth : akouchman lè dèyè timoun nan parèt anvan.

burning : brile

burning on urination : doulè lè ou ap pipi

burp (a baby) : fè tibebe rann gaz

cancer : kansè

catheter : tib yo mete nan blad pise pou kondi pise a deyò.

cervix : kòl matris, antre matris

cesarean section : sezaryèn

child birth : akouchman

chills and fever : lafyèv ak frison

coffee : kafe

colposcope : zouti pou gade kòl iteris (matris) ak vajen.

colposcopy : egzamen pou gade vajen ak kòl matris

complications : konplikasyon

condom : kapòt, kondon, prezèvatif

constipation : konstipasyon

contraceptive cream : krèm prezèvatif, (ki fèt pou moun pa fè pitit).

Krèm pou moun pa pran enfeksyon.

contraceptive foam : kim (ki fèt pou moun pa fè pitit).

Kim pou moun pa pran enfeksyon

contraceptive : pilil, grenn pou pa fè pitit.

contraceptive pill : grenn pou moun pa fè pitit.

convulsions : kriz, kriz tonbe, kriz malkadi

cramp (abdominal) : doulè nan vant, vant fè mal

cramp (muscular): kranp, doulè nan miskilati

cramping : doulè tranche

curettage : kitaj

cyst : kis, boul

death : lanmò

cause of death : kisa ki lakòz lanmò a

delivery : akouchman

expected date of delivery : dat kalkile pou akouchman

spontaneous delivery : akouchman nòmal

forceps : ak fòsèp

breech : dèyè timoun nan parèt anvan

cesarean section : sezaryèn

dental problems : problèm dan

diaphragm : dyafram

diet pills : grenn pou kontwole apeti

digestion trouble : move dijesyon, pwoblèm pou dijere

discharge : likid, dlo ki soti nan kò
vaginal discharge : likid ki soti nan bouboun

dizziness : tèt vire, fèb, santi w ap endispoze

dizziness : tèt vire

drink : bwè

Due date : dat akouchman
Your baby is due on ____ : Ou ap akouche______

ectopic pregnancy : gwosès ektopik, (ki pa chita nan matris la)

embryo : anbriyon

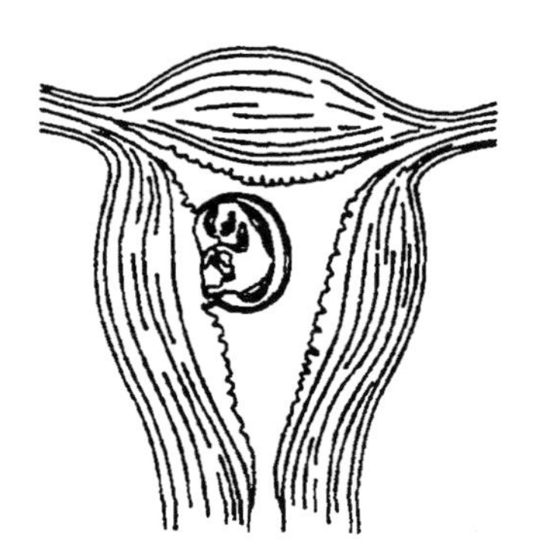

emotional upsets : movesan

epidural : anestezi epidiral, piki anestezi nan zòn basen pou ede akouchman, piki nan do.

Examination : konsiltasyon
I have to examine you vaginally : Fòk mwen konsilte ou nan bouboun
Take off everything from your waist **down** : retire rad ou depi nan senti desann
Slide down until the edge of the bed : glise desann sou rebò kabann nan
Has your bag of waters broken : Eske ou kase lezo?
When did your pain begin? : Akilè doulè a te kòmanse?
How many minutes apart are they **now?** : Chak konbyen minit ou genyen doulè yo kounye a?

examine : konsilte

fainting : endispozisyon
fainting spells : endispoze, pèdi konesans

fallopian tubes: tib falòp ki mennen ovè nan matris la

family planning : planin, kontwole kantite pitit moun ap fè

female : femèl

fertilization : fètilizasyon

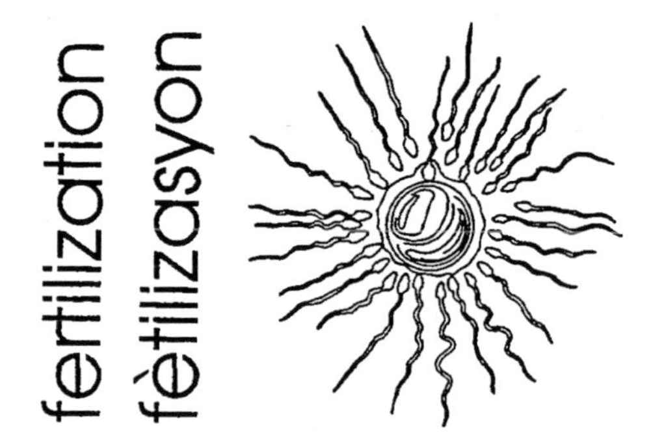

fetus : tibebe nan vant manman.

fibroids : fibwòm

follow-up : lòt randevou apre randevou jodi a

forceps : ak fòsèp

give birth : akouche

gynecologist : jinekològ, doktè ki pran swen pati sèks fi.

headache : maltèt
 persistent headache : maltèt ki vin souvan

health : sante
 general health : sante ou an jeneral

heart trouble : pwoblèm kè

heartburn : lestomak brile

hemorrhage : emoraji

high blood pressure : tansyon wo

high risk : ris la wo, andanje

hospitalization : entène, rantre lopital

hot flashes : santi chalè ap monte nan kò

injections : piki

intercourse : fè sèks

iron : fè
 iron pills : fè, grenn fòtifyan

IUD : esterilè

kicks : kout pye
 little kicks : mouvman tibebe a fè andedan vant manman l

kidney trouble : pwoblèm nan ren

labor (childbirth) : tranche

liquid : likid
 liquid medicine : medikaman likid

loss of balance : pèdi ekilib.

lump : boul

lump in the breast : boul nan sen

lung problem : pwoblèm poumon

measles : lawoujòl

menopause : menopoz, lè règ fi rete.

menstrual period : règ chak mwa

mental : mantal
 mental health : sante mantal
 mental retardation : retade

miscarriage : foskouch, avòtman envolontè

mumps : malmouton

nausea : kè plen

nervous disorders : maladi nè, twoub mantal, maladi tèt

nipple (bottle) : tetin

nipple (breast) : pwent tete

operations : operasyon

ovary : ovè, pòch ze

ovulation : ovilasyon, lè ze fi deplase al nan matris.

pain pills : grenn pou kalme doulè

pain : doulè
Do you have a lot of pain? : Eske ou gen anpil doulè?

pap smear : tès pou kansè nan kòl matris.

period : règ
last period : dènye règ
When was your last menstrual **period?** : Ki dènye fwa ou te gen règ ou?
when was your last period? : Ki dènye fwa ou te gen règ ou?

pill : pilil
iron pills : fè, fòtifyan

polyp : polip, chè ki donnen nan kò moun.

pregnancy : gwosès
What was your normal weight before **pregnancy?** : Konbyen ou te peze anvan ou te ansent?
While you are pregnant it is important not to smoke, drink **alcohol, or drink too much coffee** : Pandan ou ansent lan, li enpòtan pou ou pa ni fimen, ni bwè alkòl, ni bwè twòp kafe.
Did you take any medicine while you **were pregnant?** : Eske ou te pran medikaman pandan ou te ansent lan?
How many times have you been **pregnant?** : Konbyen fwa ou te ansent deja?
When was your last period? : Ki dènye fwa ou te gen règ ou?
Have you ever been pregnant? : Eske ou te ansent deja?
Are you pregnant now? : Eske ou ansent kounye a?
You are pregnant : ou ansent

puberty : peryòd lè timoun fòme, peryòd kwasans, adolesans.

pubic area : pibis, zòn anwo sèks, ki gen pwèl.

push : pouse
don't push : pa pouse

radiation therapy : tretman ak reyon

recovery room : chanm kote ou reprann ou

referral : rekòmandasyon, referans pou ou ale yon lòt kote, nan yon lòt klinik

rest : repoze

risk factors : rezon ki fè ou andanje

sanitary napkin : kotèks, twal lenj

scraping : grate, grataj, kitaj

serious injuries : blesi grav

sex : sèks

sexual relations : fè sèks, fè lanmou, antre an relasyon

shots : piki

sleep : dòmi
    sleeping pills : grenn pou fè ou dòmi

smoke (v) : fimen

speculum : espekilòm, aparèy ki sèvi pou louvri andedan vajen.

sperm : jèm gason, espèm

spots : tach, pèt vajinal

spotting : pèt, tikras san ki ap soti nan bouboun detanzantan.

spread your knees : ekate janm ou

stitches : pwen kouti

suck : rale, souse ak bouch

swelling : anflamasyon
    swelling of feet : pye anfle

swollen : anfle

symptom : sentòm

syphilis : sifilis

tired : fatige
    frequent tiredness : fatige souvan

tooth : dan
    dental diseases : maladi nan dan

tranquilizer : kalman, medikaman pou kalme

treatment : tretman
    medical treatment : tretman doktè

tuberculosis : tibèkiloz, pwatrinè

twin : marasa, jimo

ultrasound : iltrason

urine : pipi
    urine specimen : echantiyon pipi
burning on urination : doulè lè ou ap pipi

uterus : matris

vagina : vajen, bouboun
    vaginal discharge : pèt ki soti nan vajen
    water from vagina : dlo ki soti nan vajen

vaginal discharge : likid ki soti nan vajen, nan pati sèks fi

varicose veins : venn varis

vitamin : vitamin

vomit : vomi
    continous vomiting : vomi san rete
    vomiting : vomi

water : dlo
    broken waters : kase lezo

weight : pwa, pèz
    normal weight : pwa nòmal

Female reproductive system
Sistèm pou fi fè pitit

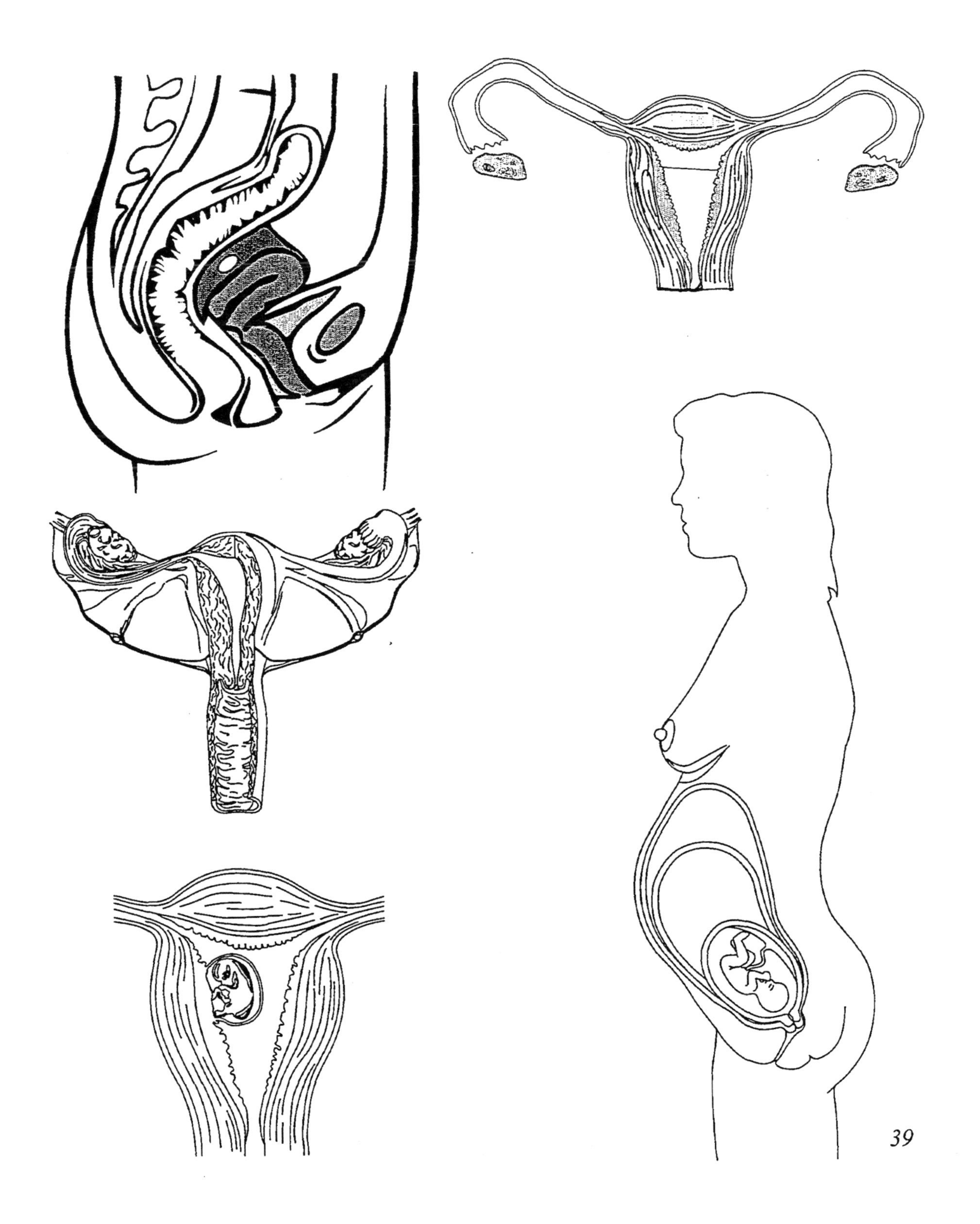

Medications

Medikaman

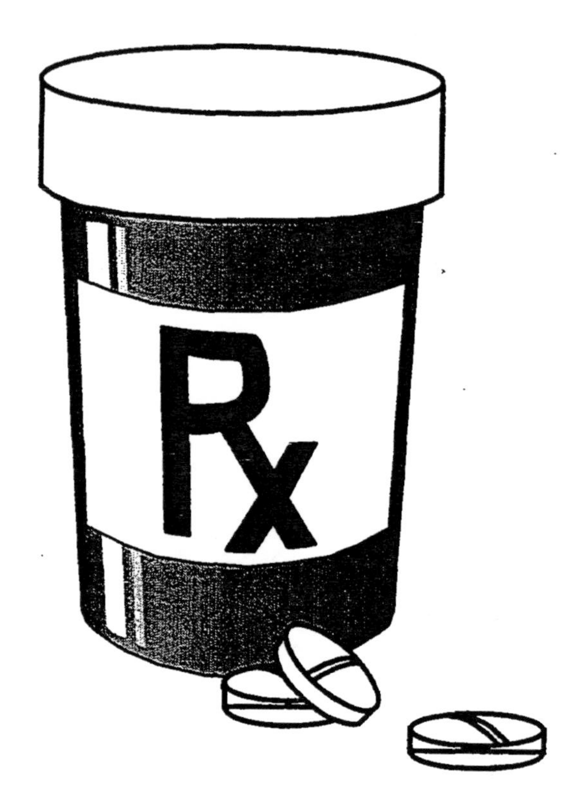

amphetamine : anfetamin

anesthesia : anestezi

antacid : anti-asid

antibiotic : antibyotik

antihistaminic : anti-istaminik

apply : mete

ascorbic acid : asid askòbik, vitamin C (se)

aspirin : aspirin

bedtime : lè dòmi
 before bedtime : anvan ou al dòmi

before : anvan
 before you exercise : anvan ou fè egzèsis

birth control pill : grenn pou pa fè pitit

calamine : kalamin

calcium : kalsyòm

capsule : kapsil, grenn

castor oil : luil derisen

chew : moulen

cocaine : kokayin

cod liver oil : luil fwadmori

codeine : kodeyin

condom : kapòt

contact lens : vè kontak

contraceptive pills : grenn pou pa fè pitit

cool in the refrigerator : refwadi nan frijidè

cortisone : kòtizòn

cotton : koton

cough drops : sirèt pou tous

cough syrup : siwo pou tous

dissolved in : fonn nan, deleye nan

diuretic : diretik, medikaman pou pipi

dose : dòz

douche : lavaj vajen, douch vajen

dressing : pansman

dropper : konngout

drops : gout

enema : lavman

Epsom salt : sèldepsonn

every hour : chak inèdtan

every other day : chak de jou

foam : kim

gargle : gagari

glucose : glikoz, sik

hour : è, èdtan

one-half (1/2) hour after meals : demiyèdtan apre manje

one-half (1/2) hour before meals : demiyèdtan anvan manje

insert : foure, rantre

laxative : pigatif, medsin, pij

milk of magnesia : lètmayezi

mineral oil : luil mineral

morning : maten

in the morning : lematen

morphine : mòfin

mouth : bouch

by mouth : pa bouch

needle : zegui

now : kounye a

ointment : pomad

only when you need it : sèlman lè ou bezwen li

oxygen : oksijèn

penicillin : pelisilin

phenobarbital : fenobabital

powder : poud

quinine : kinin

rectally : nan twou dèyè

rub : fwote

sanitary napkin : kotèks

scalp : potèt

sedative : kalman

serum : sewòm

shake well : sekwe l byen

soak : tranpe

suppository : sipozitwa, medikaman pou mete nan twoudèyè

syringe : sereng

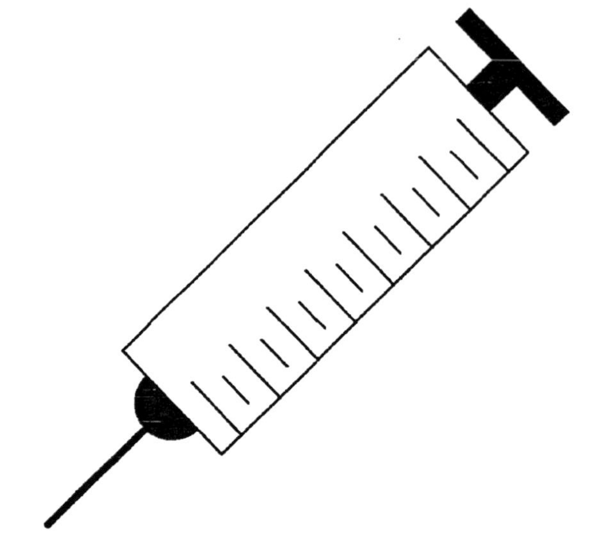

syringe / sereng

tablet : grenn, pilil

till finished : joustan li fini

tongue : lang

under the tongue : anba lang

vitamin : vitamin

these pills are vitamins : grenn sa yo se vitamin yo ye

wash : lave

Wash the affected area thoroughly : Lave kote ki malad la byen lave

Hand Ortho

Òtopedi pou Men

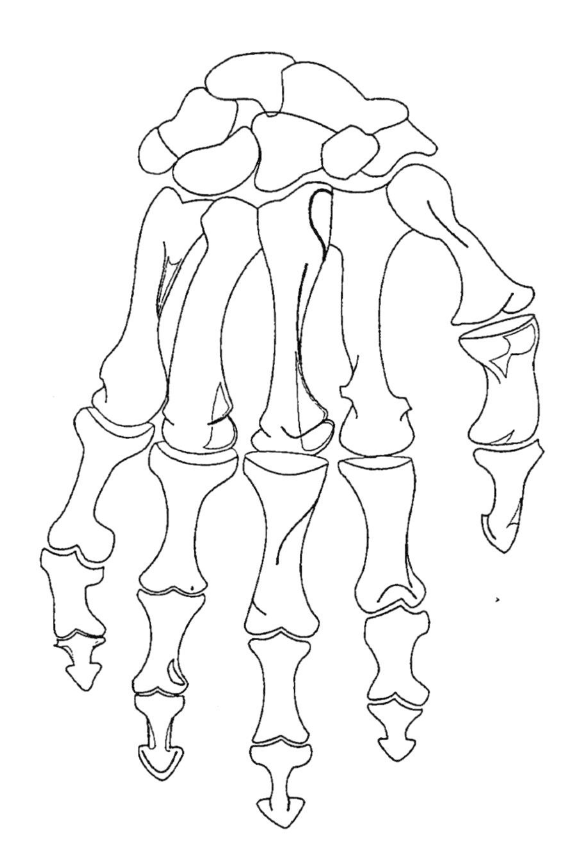

arm : bra

bandage : pansman

bone : zo

brace : aparèy òtopedik

bruise : grafouyen

cast : anplat, aparèy

corn : kò

dressing : pansman, twal gaz.

elbow : koud

electrical feeling : yon sansasyon kouran elektrik pase

finger : dwèt
- **index finger** : lendèks, dwèt bouwo
- **little finger** : ti dwèt, orikilè
- **middle finger** : dwèt mitan, dwèt lemajè, gwo dwèt
- **ring finger** : dwèt bag, lànilè
- **thumb** : dwèt pous

fingernail : zong

fingertip : pwent dwèt

fist : pwen

forearm : anvanbra, (pati bra ant men ak koud)

fracture : frakti, zo kase

hand : men

heal : geri

injure : blesi, frape

joints : jwenti

knuckle: jwenti dwèt yo

ligaments : ligaman (tisi elastik ki kenbe zo ak mis)

MRI, Magnetic resonance imaging : Teknik pou gade anndan kò moun

nerves : nè

numb : pa santi anyen, san sansasyon, mò

pain: doulè
- **lot of pain** : anpil doulè
- **burning pain** : doulè ki bay sansasyon brile
- **dull pain**: doulè ansoudin
- **sharp pain**: doulè ki fè mal anpil
- **severe pain** : doulè grav
- **some pain**: enpe doulè
- **stabbing pain**: doulè ki ap lanse ou
- **throbbing pain** : doulè ap bat
- **unbearable pain** : doulè ou pa ka sipòte
- **very little pain**: yon ti doulè

pinched nerve : nè ki kwense

shoulder : zèpòl

sore (a.): kò fè mal
- **sore (n.)**: yon blesi, iritasyon, doulè
- **infected sore** : maleng

splint : sipò pou kenbe pati nan kò yon moun anplas

sprain : antòs, (lè ou tòde yon ligaman)

stiff : rèd, ki pa ka deplase

stitches : kouti, pwen kouti

straighten : fè yon bagay rete dwat

stretch : detire

swelling : anfle

tender : mou

tendon : tandon (pati ki tache miskilati ak zo ansanm)

thumb : dwèt pous

tingling : pikotman

turn : vire, tounen

twist : tòdye

wrist : pwayè

X-Ray : radyografi

Infections

Enfeksyon

abdomen : vant
lower abdominal pain : doulè anba tivant

abrasion : kòche, grafouyen

abscess : abse

AIDS : SIDA

amputation : koupe yon manm (janm, pye osinon bra)

antibiotics : antibyotik

appendicitis : apendisit, anflamasyon apendis

bacteria : bakteri

balance : ekilib
loss of balance : pèdi ekilib, dezekilib

bandage : pansman

beating : batman

blood test : tès san

bronchitis : bwonchit, enfeksyon nan bwonch

burning : brili, boule

capsule : kapsil, grenn

chest : pwatrin, kòf lestomak
chest cold : tous ki reponn nan kòf lestomak

chills : frison

cold (n.) : fredi, anrimen

communicable disease : maladi atrapan

discomfort : malalèz, doulè ki pa twò fò

dosage : kantite, dòz

dressing : pansman, twal gaz

ear discharge : pi osnon dlo ki ap soti nan zòrèy

ear : zòrèy

earache : doulè nan zòrèy

fatigue : fatig, kò kraz

fever : lafyèv

follow-up appointment : randevou pou kontinye suiv ka a

gauze : twal gaz

general fatigue : fatig jeneral, kò kraze toupatou.

general practitioner : doktè ki fè medsin jeneral, doktè fanmi

germ : jèm, mikwòb

gonorrhea : gonore, ekoulman, chodpis, grantchalè.

H.I.V. : viris SIDA

hematoma : konkonm, san ki chita yon kote ki gen yon blesi pa andedan.

high fever : gwo lafyèv.

increased swelling : anflamasyon ki ap ogmante, ki vin pi gwo.

infection : enfeksyon

influenza : grip

IV : nan venn, entravenèz

lesion : blesi

measles : lawoujòl

medication : medikaman

medicine : remèd, medikaman

meningitis : menenjit, maladi tèt anfle

moan : plenn

mucus (nasal) : larim, glè ki soti nan nen

mucus (phlegm) : flèm, glè

mumps : malmouton

nasal congestion : nen bouche

nausea : kè plen, anvi vomi

over the counter medication : remèd ou ka achte san preskripsyon.

pain: doulè
- **dull pain** :doulè ansoudin
- **sharp pain** : doulè fò, tranchman
- **severe pain**: doulè grav
- **stabbing pain** : doulè pike

pill : grenn (pou bwè)

pneumonia : nemoni

pus discharge : pi ki ap sòti, pi ki ap koule

runny nose : nen ki ap koule, nen larim

shot : piki, vaksen

syphilis : sifilis

sinus : sinis
 sinusitis : sinizit
 sinus infection : enfeksyon nan sinis

smell (n.) : odè, sant
 green smelly mucus : likid vèt ki gen move sant.

sore throat : malgòj

sputum : krache rim

swelling : enflamasyon

symptom : sentòm, siy maladi

tetanus : tetanòs

throat : gòj

throbbing : batman

urinate : pipi, irine, pise
 constant urge to urinate : anvi pise toutan

vaginal discharge : pèt, likid ki soti nan vajen, pèt blanch

vague pain : doulè vag, san presizyon
 pain got worse : doulè vin pi rèd
 pain is unbearable : doulè ou pa ka sipòte
 pain upon urination : doulè lè ou ap pise

vertigo : vètij, tèt vire

virus : viris, mikwòb

vomit : vomi

weak : fèb

whooping cough : koklich

wound : blesi

Medical Supplies
Materyèl Medikal

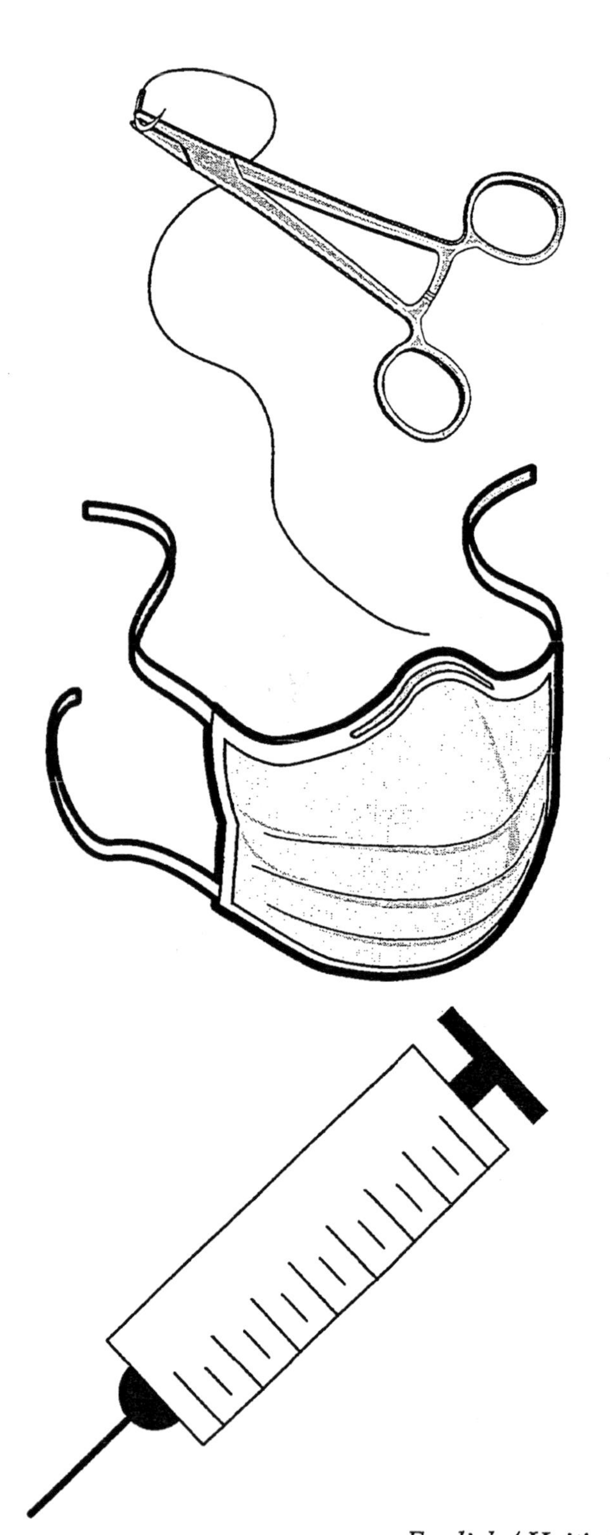

band-aid : pansman

bandage : pansman

boil (v.): bouyi
  boiled water : dlo bouyi

cast : anplat

catheter : katetè, sonn

cotton : koton

crutches : beki

desinfectant : dezenfektan

distilled water : dlo distile

enema : lavman

eye : zye, je
  eye glasses : linèt

gauze : twal gaz

gloves : gan

hot water : dlo cho

I.V. : nan venn, entravenez

injection (shot) : piki

iodine : yòd

needle : zegui

oxygen : oksijèn, lè

oxygenated water : dlo oksijene

pillow : zòrye

pills : grenn, pilil

salt water : dlo sale, dlo sèl

scissors : sizo

scotch tape : tep

stretcher : branka, sivyè

support : sipò

suppository : sipozitwa (remèd pou mete nan twoudèyè)

syringe : sereng

tube : tib
    nasogastric tube : tib nazogastrik (ki pase nan nen pou ale nan lestomak)

tube : tib

tweezers : ti pens

urinal : kote pou pise, irinwa

urinary catheter : katetè pou pise

walker : machèt, ekipman ki ede moun mache

walking stick : baton pou mache

water : dlo
    boiled water : dlo bouyi
    distilled water : dlo distile
    hot water : dlo cho
    salt water : dlo sale

chair : chèz
    wheel chair : chèz woulant

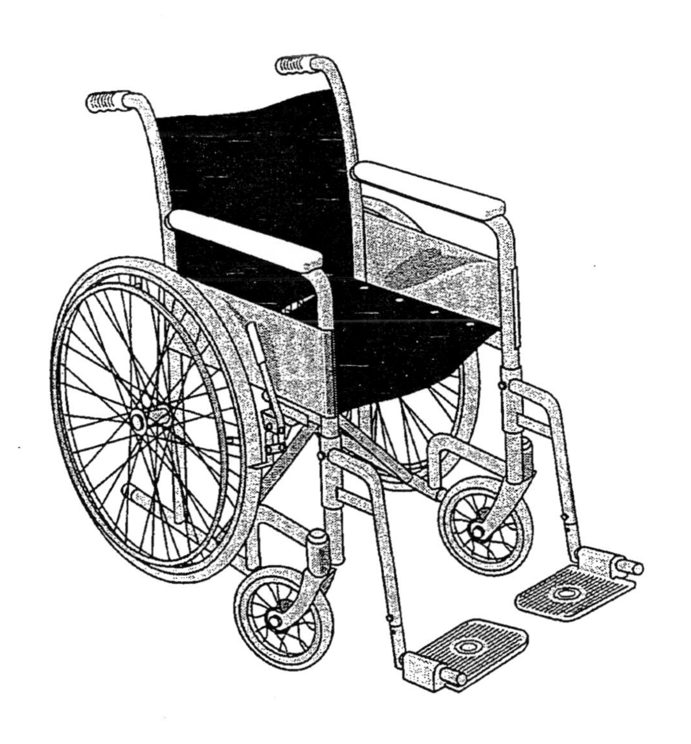

wheelchair
chèz woulant

Neurology Vocabulary

Vokabilè Newoloji

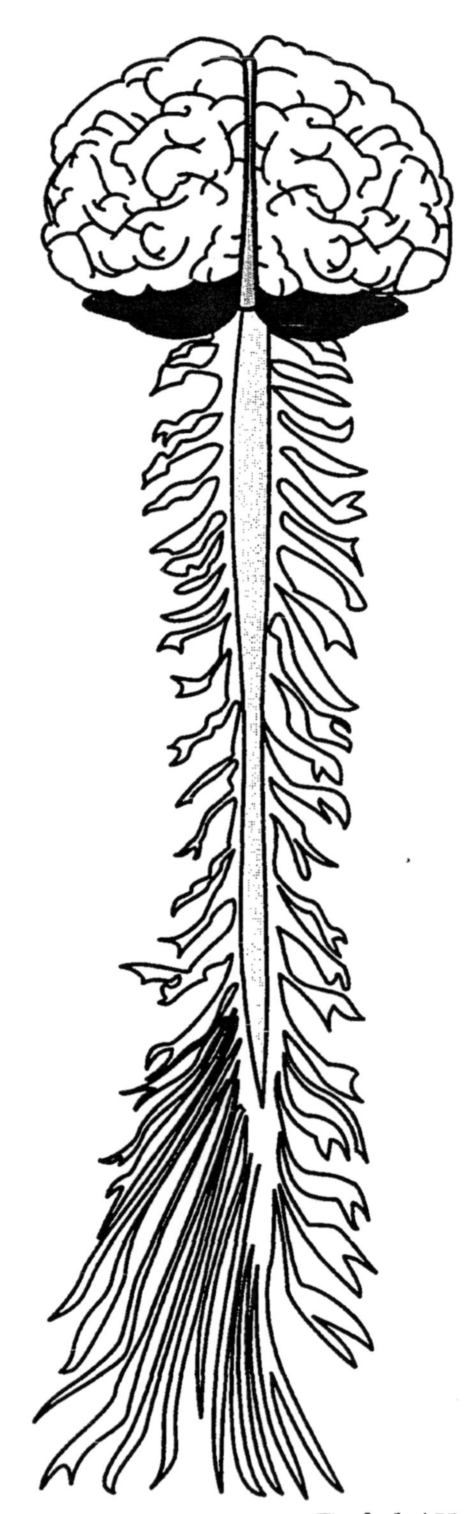

Alzheimer's disease : Maladi Alzaymè, maladi pèdi memwa.

brain : sèvo

central nervous system : sistèm nève santral

cerebellum : serebelòm, ti sèvo, sèvelè

cerebral palsy : maladi paralezi sèvo

cerebrospinal fluid : likid serebro-espinal (likid ki an rapò ak sèvo epi nè prensipal rèl do a).

cerebrum : serebwòm, sèvo

coma : koma

disease : maladi

Alzheimer's disease : Maladi Alzaymè, maladi pèdi memwa

dizziness : tèt vire

earache : malzòrèy, doulè nan zòrèy

encephalitis : enflamasyon sèvo

epidural : anestezi epidiral

epilepsy : malkadi, maladi tonbe, kriz malkadi, maladi kimen

faint : endispoze

feel : santi

Can you feel when I touch you? : Eske ou ka santi lè mwen manyen ou?

Do you feel the same on both sides? : Eske ou santi menm jan nan toulede bò yo?

hangover : malmakak

head : tèt

hypothalamus : ipotalamis (pati sistèm nève ki anndan tèt la)

lethargic : san kouraj, kò lage, kò kraz

lethargy : ki pa gen kouraj, kò lage

memory disorder : pwoblèm memwa, pa kapab sonje, maladi pèt memwa

meninges : menenj, tisi ki vlope sèvo a

meningitis : menenjit (maladi enflamasyon tisi ki vlope sèvo)

mental disorders : maladi mantal

migraine : maltèt ki nan yon bò tèt la sèlman

mutiple sclerosis : esklewoz anplak, yon maladi sistèm nève santral

nerves : nè

neurology : newoloji

Parkinson's disease : maladi Pakinnson (maladi sèvo ki fè moun tranble, epi rete rèd)

pinched nerve : nè ki kwense

relax : lache kò ou, rete kal, repoze ou

sciatic nerve : nè syatik, gwo nè nan zòn janm.

seizure : kriz, atak

somnolence : anvi dòmi

spinal cord : epin dòsal, nè ki pase nan zo rèldo

spinal nerves : nè nan rèldo

stand up : kanpe

stroke : konjesyon nan sèvo, konjesyon serebral, emoraji nan sèvo, estwok

syncope : endispozisyon

walk : mache
    walk toward me : mache vin jwenn mwen

Obstetrics

Obstetriks

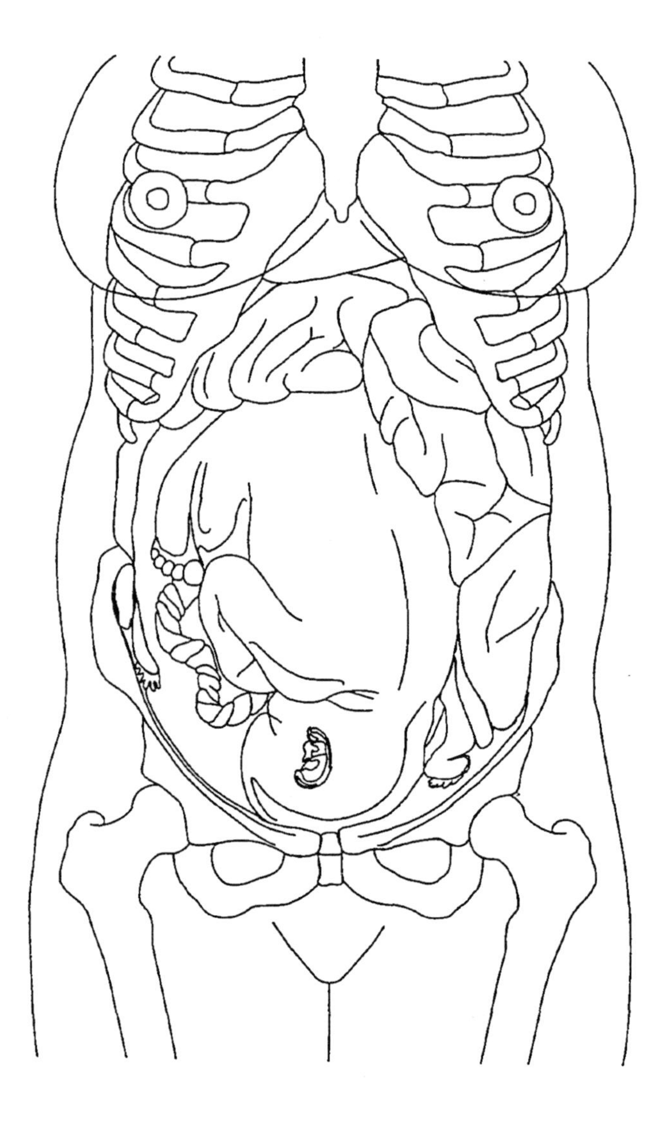

amniotic fluid : likid amnyotik (likid ki nan vant manman an toutotou tibebe a.)

amniotic sac : sak amnyotik (sak kote tibebe a ap grandi nan vant manman l.)

areola : areyòl (Sèk ki alantou pwent tete a)

breast : tete, sen

cervix : kòl matris

colostrum : kolostròm (premye lèt ki soti nan tete manman an)

diafragm : dyafram

fetus : fetis, tibebe nan vant anvan twa mwa gwosès

gestation : peryòd tibebe a fè nan vant manman l

meconium : mekomyòm (premye poupou ki soti nan vant tibebe ki fèk fèt)

milk : lèt

mother's milk : lèt manman, lèt matènèl.

engorged : angòje, twòp lèt nan tete manman an

colostrum : kolostwòm (premye lèt ki soti nan tete manman an)

Mom : manman

Mom's body parts : Pati nan kò manman

mother : manman

mother's milk : lèt manman, lèt matènèl

nipples : pwent tete

placenta : plasanta, manman vant

uterus : iteris, matris

vagina : vajen, bouboun

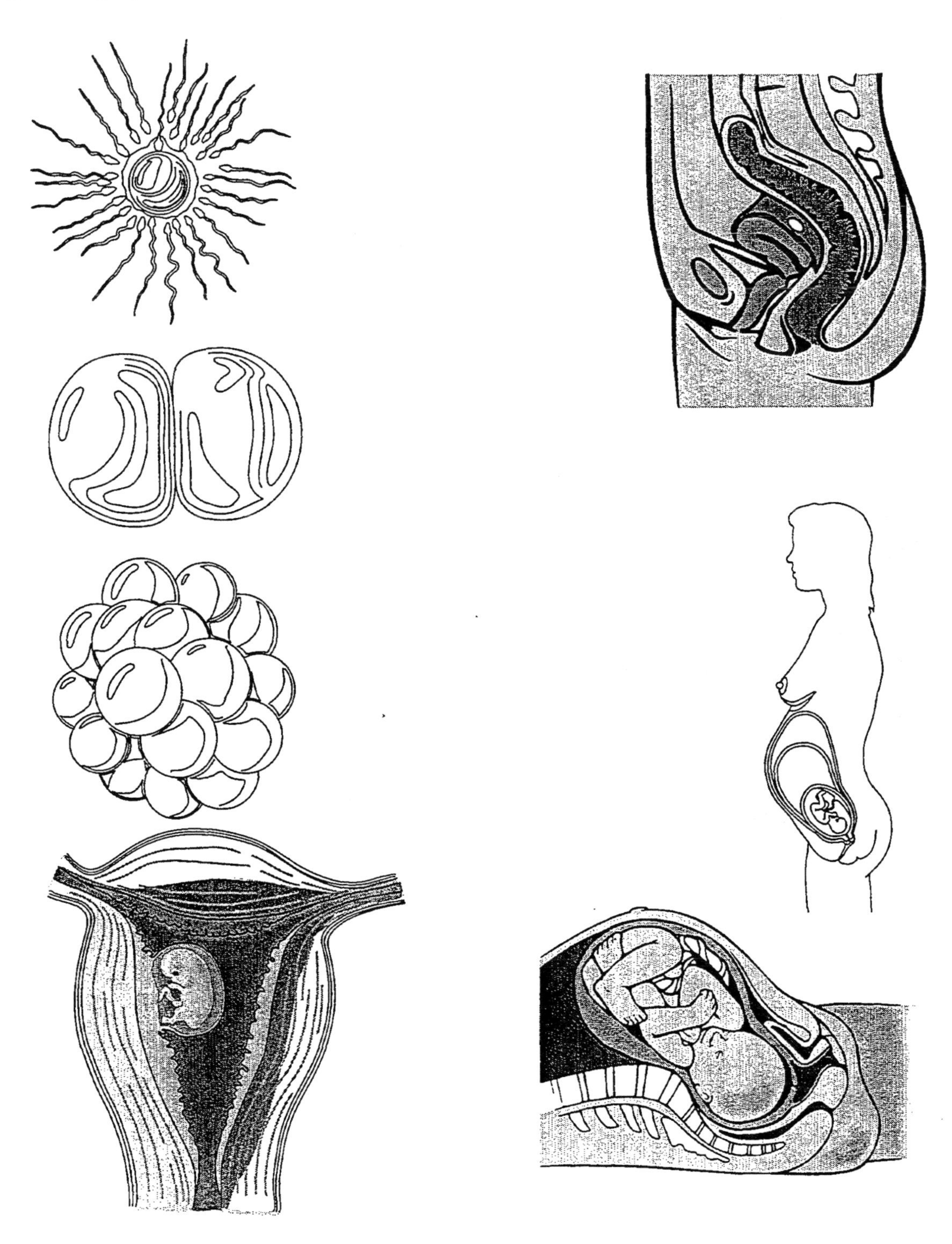

Baby

Tibebe

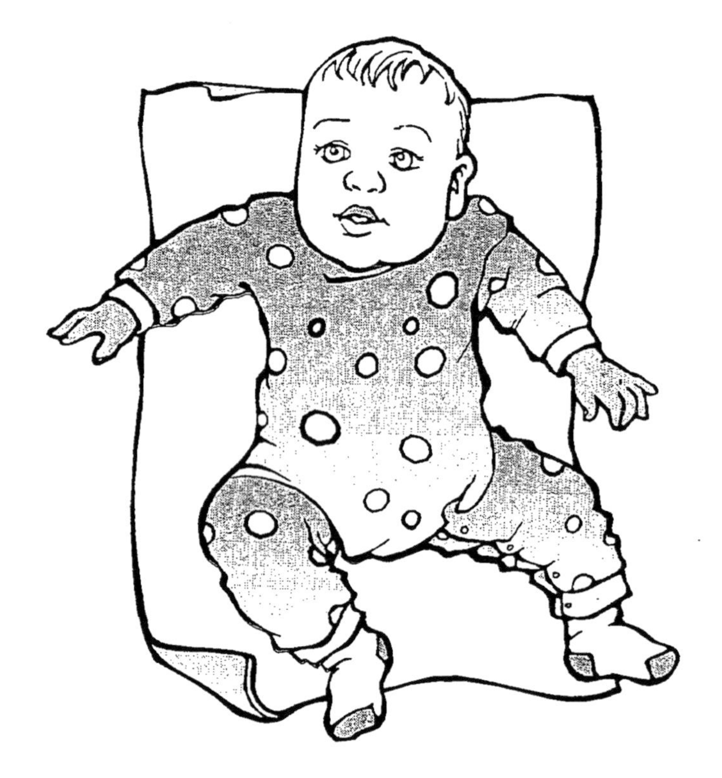

baby : bebe
term baby : tibebe ki fèt sou nèf mwa

bowel movement : fè poupou

burp : rann gaz

colic : vant fè mal

cry : kriye, rele

delivery : akouchman, delivre
term baby : tibebe ki fèt sou nèf mwa
premature delivery : akouchmman anvan dat.
premie : tibebe ki fèt anvan tèm

eye : zye, je
eye discharge- "sleepies" : lasi

gas : gaz
pass gas : rann gaz

infant : tibebe, anvan ennan

premie : tibebe ki fèt anvan tèm

premature delivery : akouchmman avan tèm.

umbilical cord : kòd lonbrit

umbilicus : lonbrit

Delivery

Akouchman

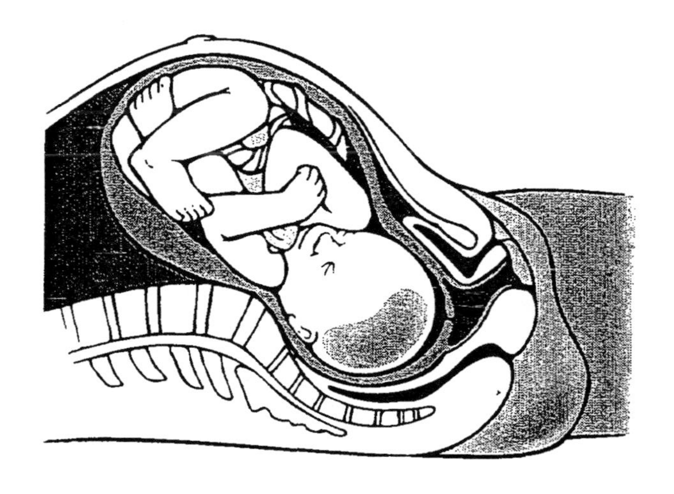

birth : nesans, lè tibebe fèt

bleeding : senyen, emoraji

breech birth : akouchman kote se dèyè tibebe a ki parèt anvan

cesarian section: sezaryèn

circumcision : sikonsizyon, sikonsi, koupe ti po ki kouvri tèt pijon tigason

contraction : tranche

electronic fetal monitor : machin pou kontwole sitiyasyon tibebe pandan li nan vant manman l

epidural anesthesia : anestezi nan do pou doulè akouchman

episiotomy : epizyotomi (kout sizo nan vajen an pou pèmèt tibebe a soti san li pa dechire manman an)

forceps : fòsèp

incubator : kouvez (kote yo mete tibebe ki fèt anvan lè)

labor : tranche

pant : respire vit, respire anlè anlè

relax : lache kò ou

stillbirth : tibebe ki fèt tou mouri

suture : kouti, koud

tubal ligation : mare tib nan aparèy fè pitit
fi a pou li pa fè pitit

vaginal delivery : akouchman nòmal

water : dlo
the waters : dlo, lezo
break waters : kase lezo

Things related to the baby

Koze tibebe

balanced diet : dyèt ki balanse, ki ekilibre, ki gen tout kalite manje ladan l.

birth certificate : batistè

blood type : gwoup san

bottle : bibwon

diaper : kouchèt
  diaper rash : chofi

dizziness : tèt vire, anvi endispoze

eye drops : gout pou je

formula for babies : lèt bwat pou tibebe

head perimeter : mezi alantou tèt

height : wotè

vaccine : vaksen
  1 diphtheria : 1 difteri
  2 tetanos : 2 tetanòs
  3 pertussis : koklich
  4 polio vaccine : vaksen polyo

lactation : bay tibebe tete

nail cutter : tay zong

neonatal, related to the first 4 months after **birth** : sa ki pase pandan premye kat mwa apre tibebe a fin fèt

obstetrician : obstetrisyen, doktè ki fè akouchman

pediatrician : pedyat, doktè timoun

perinatal : tan anvan epi apre akouchman

petroleum jelly : vazlin

polio vaccine : vaksen polyo

pregnancy : gwosès

prenatal : nan tan pandan ou ansent

q-tips : bwa pou netwaye zòrèy

registration : enskripsyon

stroller : chèz pousèt pou tibebe

vomit : vomi

weight : pwa

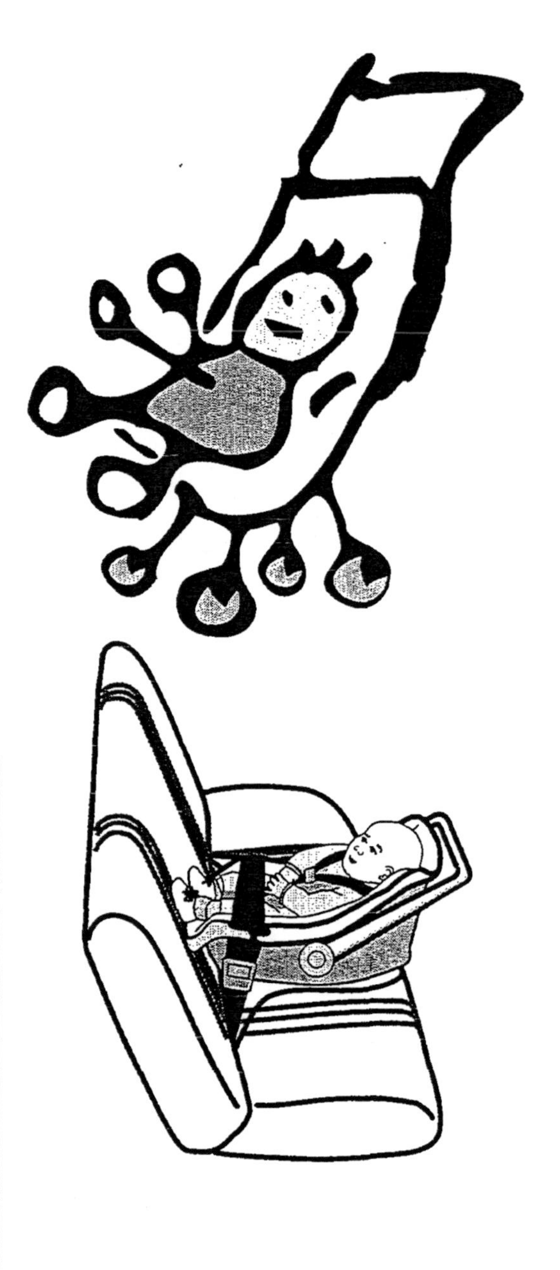

Orthopaedics

Òtopedi

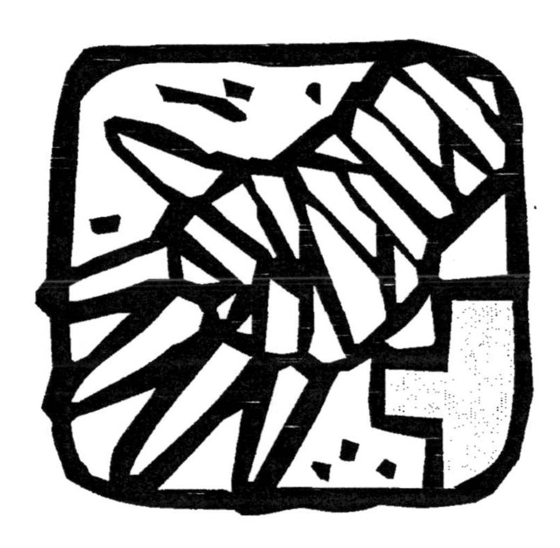

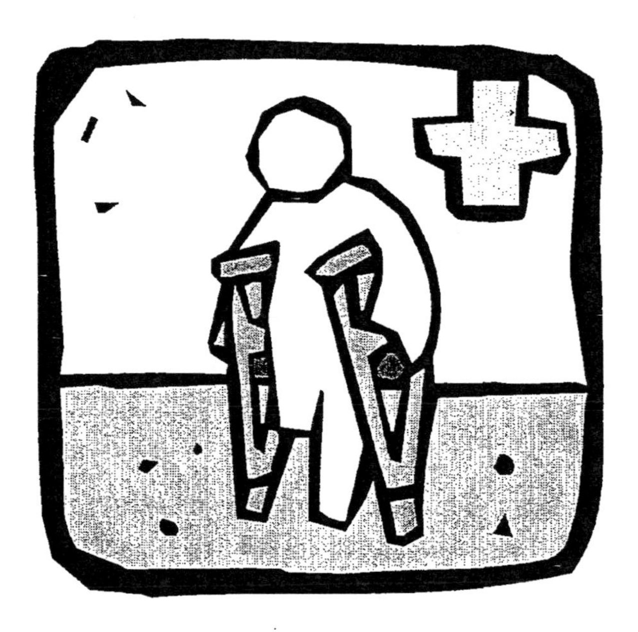

accident : aksidan

Have you been in an accident? : Eske ou te nan yon aksidan?

adhesive tape : tep, adezif

anesthetize : andòmi

ankle : cheviy, zòn je pye

arch : koub

arm : bra

arthroscopy : egzamen pou enspekte andedan jwenti

back : do

backbone : rèldo, chinin do

bandage : pansman

bone scan : egzamen pou wè sa ki andedan zo.

bone transplant : grèf zo, mete pou yon moun zo ki pa te pou li.

bone : zo

You have a broken bone : Ou gen yon zo ki kase

brace : aparèy pou soutni yon pati nan kò ou nan yon pozisyon fiks.

bruise : grafouyen (kote po yon moun graje men ki pa senyen)

calf : mòlèt

cane : baton

cartilage : katilaj, tisi fèm men elastik, ki sèvi pou tache zo yo.

cast : anplat

chair : chèz

Can I help you into the chair? : Eske mwen ka ede ou chita sou chèz la?

collar bone : zo salyè

corn : kò

cotton : koton

crutch : beki

crutches : bekiy (What's the story beki or bekiy or toulede. Should be just one item)

disk : plak zo do

dressing : pansman

elbow : koud

feet : pye

fracture : frakti, zo ki fele

glove : gan

heal : geri

heel : talon

herniated disk : èni nan plak zo rèldo a

hip : anch, ranch, tay, senti, ren

hot :cho

If you wash it in hot water it will **melt** : Si ou lave li nan dlo cho li ap fonn.

Do not leave it in the sun or in any very hot place (dashborad of a car or on the **radiator).** : Pa kite li nan solèy ni okenn lòt kote ki cho anpil (tankou sou dash machin osnon sou radyatè).

ice : glas

instep : kanbri

jaw : machwa

joints : jwen, jwenti

knee : jenou

left : goch
left-handed : goche

Leg : janm

I will hold your leg for you : Mwen ap kenbe (soutni) janm nan pou ou.

ligaments : ligaman, tisi elastik ki tache zo yo ansanm.

limp (v) : bwate

lower back pain : doulè nan do sou anba

lumps : boul

M.R.I. (Magnetic Resonance Imaging) : Teknik pou wè anndan kò moun, ki sanble ak radyografi

marrow : mwèl ki andedan zo

meniscus : meniskis, tisi solid men ki pa di, ki anpeche friksyon lè jwenti yo ap deplase.

muscle : mis, miskilati

nails : zong

neck : kou

pain : doulè
  Do you feel pain when you stand? : Eske ou santi doulè lè ou kanpe?
  Do you feel pain when you bend? : Eske ou santi doulè lè ou bese?
  Does the pain shoot down toward the **legs?** : Eske doulè yo kouri desann nan janm ou?

paralysis : paralezi

pillow : zorye
  I am going to put a pillow under your **leg** : Mwen pral mete yon zòrye anba janm ou.

pinched nerve : nè kwense

pins : pyès tankou klou pou kole de zo ki kase

plaster : anplat

rheumatism : rimatis

ribs : zo kòt

rickets : rachitik

right (a.) : dwat
  right-handed : dwatye

skull : zo tèt ak zo figi

sling : echap
  You must wear a sling whenever you **are out of bed** : Ou dwe mete yon echap depi ou ap leve kite kabann nan.

spasm : kontraksyon ki bay doulè

spinal cord : epin dòsal, andedan zo rèl do

splint : ekipman ki sèvi pou soutni yon pati nan kò yon moun pou li pa bouje.
  This is a splint to protect your hand : Sa a se yon sipò pou pwoteje men ou.

sprain : antòch
  You have a sprain : Ou fè yon antòs
  You have sprained your _____ : Ou gen yon _____ ki tòde.

sprain : antòch (n.), foule (v.)

sternum : estènòm, zo biskèt

stitches : pwen kouti

swelling : anfle, anflamasyon, enflamasyon

swollen : anfle

tendons : tandon, pati ki tache miskilati ak zo

thigh : kuis

throb : lanse, bat

thumb : dwèt pous

tight, tighten : sere

tingling : pikotman

toes : zòtèy

traction : rale, tire

treatable : ki ka trete

treatment : tretman

tumor : timè, anflamasyon
benign tumor : timè ki pa grav
malignant tumor : timè ki grav, kansè

twisted : vire, tòde, tòdye

unwrap : devlope

vertebra : vètèb, youn nan zo ki nan rèldo a.
cervical vertebrae : vètèb nan zòn kou
thoracic vertebrae : vètèb nan zòn kòflestomak
lumbar vertebrae : vètèb nan zòn senti, zòn vant
sacral vertebrae: vètèb nan zòn basen, zòn matris
coccyx vertebrae : vètèb nan zòn dèyè (kòksis)

walk : mache

walker : machèt, ekipman ki ede moun mache
Place the walker in front of **you** : Mete machèt la devan ou.
Put most of your weight on your hands and take a step **into the walker** :
Mete plis pwa sou men ou epi fè yon pa ak machèt la.

ward : seksyon

surgical ward : seksyon chiriji

wrist : pwayè
Your wrist should rest snugly in the **curve** : Pwayè ou dwe byen poze sou koub la.

x-ray : radyografi
We need to take some X rays : Nou bezwen fè kèk radyografi pou ou.

x-ray : reyon x, radyografi

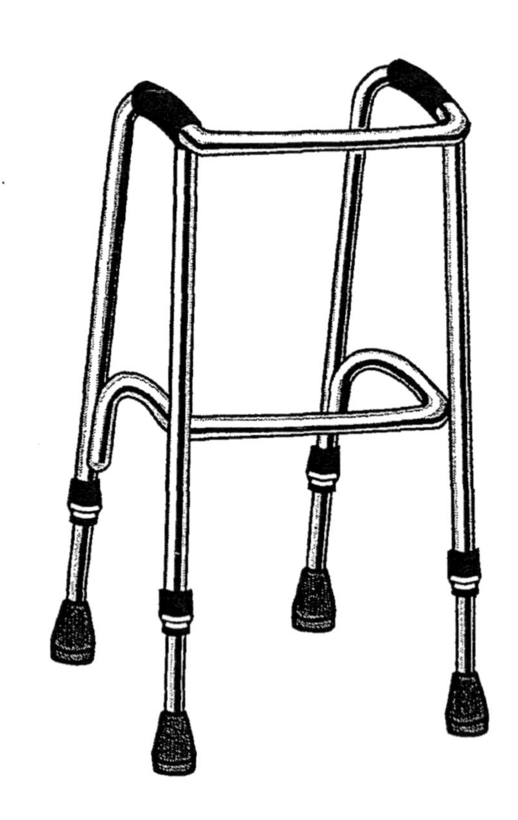

walker / machèt

Respiratory

Respirasyon

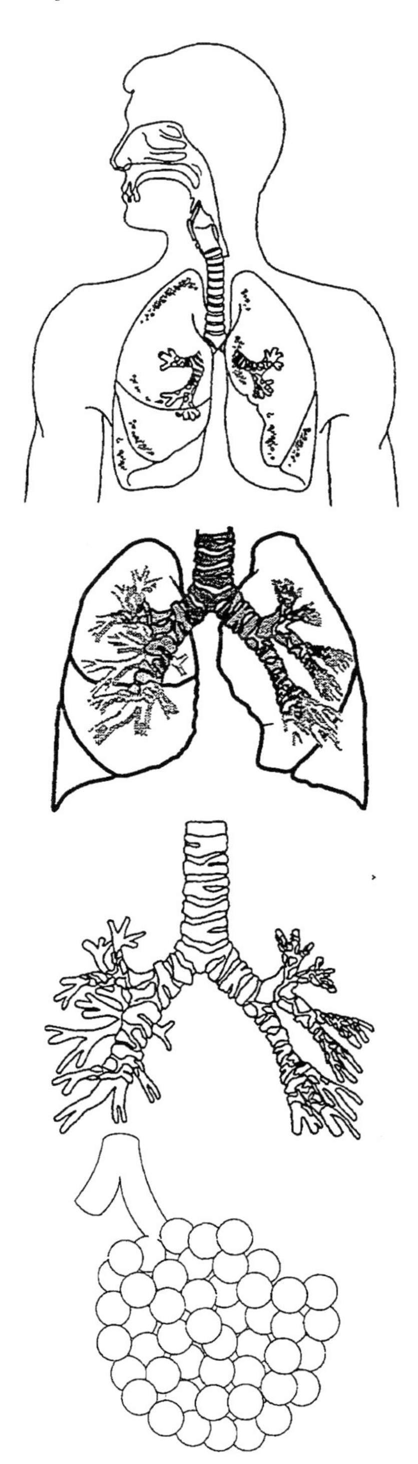

asthma : opresyon

breathe deeply and hold it : respire fò epi kenbe souf ou

Breath : respirasyon, souf

> **Are you short of breath?** : èske ou gen difikilte respire, èske ou gen souf kout osnon ou ap respire anlè anlè?

Breathe : respire
breathing : respirasyon, souf

breathing difficulty : difikilte pou respire

bronchitis : bwonchit

chest cold : rim pwatrin

chest oppression : santi presyon nan kòflestomak

chills : frison

cough blood : touse san

cough : tous

dripping nose : anrimen, nen ki ap fè larim

emphysema : enfizèm, anflamasyon nan poumon

fever : lafyèv

gasping : sifoke, toufe

hay fever : rimdèfwen, alèji ki fè ou anrimen ak nen ou ap koule epi ak je ou ki ap fè dlo.

How is your breathing? : Kouman respirasyon ou ye?

inhale : antre lè nan poumon ou, pran respirasyon

Keep the oxygen mask on : Kite mas oksijèn nan, pa wete l.

lung cancer : kansè poumon

lungs : poumon

nasal congestion : nen bouche, konjesyon nan nen

nose : nen
nosebleed : nen ap senyen
stuffed up nose : nen bouche

pneumonia : nemoni

quivering : tranble, gen latranblad

runny nose : nen ap koule larim

shaking chills : lafyèv frison, latranblad

sinus congestion : konjesyon sinis, nen bouche

slow deep breath : respire dousman epi pwofondeman

sneeze : etènye

take a deep breath and cough : respire fò epi touse

tuberculosis : tibèkiloz, tebe, pwatrinè

Urinary System and Male Sexual System

Sistèm Pipi epi Sistèm Sèks Gason

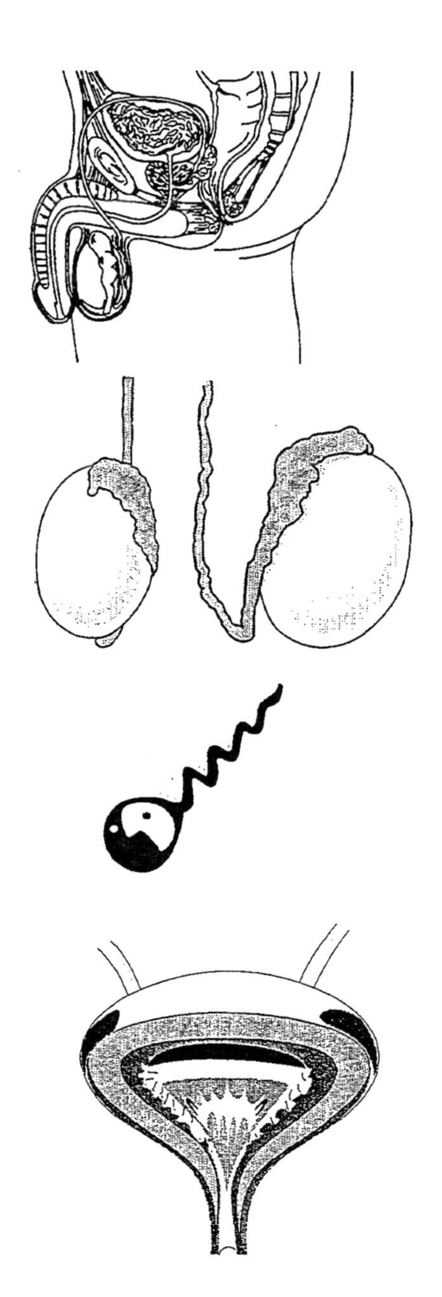

adrenal glands : glann sirenal

allergies : alèji

back : do

bladder : blad pipi, vesi

bleeding : senyen

burning : brile, boule

cramp : lakranp

cystoscopy : egzamen pou gade andedan blad pise (vesi)

dialysis : dyaliz (teknik ki pèmèt netwaye san yon moun ki pa gen bon ren)

discharge : pi, likid ki soti nan pijon gason.

disease : maladi

ejaculation : voye, dechaj

ejaculatory duct : tib pou ejakile

erection : ereksyon, bann, lè pijon gason kanpe.

fever : lafyèv

foley catheter : tib fleksib ki sèvi pou kondi pise depi nan vesi (blad pise) pou soti deyò.

fungus : mikwòb, chanpiyon.

glands : glann, boul

gland : glann
  adrenal glands : glann sirenal

gonorrhea : gonore, ekoulman, grannchalè, grantchalè, grennchalè, chodpis

hemorrhage : emoraji, pèdi san, seyen

herpes : èpès, enfeksyon moun pran nan fè sèks ki lakòz po moun fè glòb

hydrocele : maklouklou

I.V.P. (Intravenous pyelography) : tès ki pèmèt yo fè yon radyografi sistèm pise.

impotence : enpuisans, pa ka bande, pa gen bann, lè pijon an pa ka kanpe.

infection : enfeksyon

kidney : ren

kidney stones : pyè nan ren

lesion : blesi, maleng

lithotripsy : litotripsi, kase pyè nan ren an ti moso piti pou malad la ka pase yo nan pipi.

male reproductive system : sistèm pou gason fè pitit

mastitis : anflamasyon tete akòz enfeksyon

pain : doulè

penis : pijon, penis, kòk.

prepuce (foreskin) : po ki kouvri tèt pijon an, prepis

prostate : pwostat, yon ògàn ki nan zòn, anba vesi gason

prostatectomy : operasyon pou wete yon pati osnon tout pwostat yon gason.

pyelography : tès pou fè radyografi sistèm pise (vesi).

S.T.D. (sexually transmitted disease) : maladi moun pran nan kontak seksyèl

salmonella : salmonela, mikwòb ki ka nan vyann ak ze kontamine epi ki ka bay moun dyare ak lafyèv tifoyid.

scrotum : sak ki vlope boul grenn gason

semen : dechaj, likid ki melanje ak espèmatozoyid yo.

seminal vesicle : vesikil seminal, de sak ki pre blad pise a, li resevwa espèmatozoyid ki soti nan grenn yo, se la espèmatozoyid yo melanje ak likid semans lan pou li vin fòme dechaj la.

sperm count : kantite espèmatozoyid ki nan dechaj

sperm : dechaj, espèm

spermatic cord : kòd espèm, tib ki soti nan boul grenn gason epi ki pote espèmatozoyid yo monte ale nan irèt.

swelling : anfle

syphilis : sifilis (maladi moun pran nan fè sèks ak yon moun ki enfekte)

testis : grenn, de boul ki nan sak grenn gason

testosterone : testostewòn, òmòn gason.

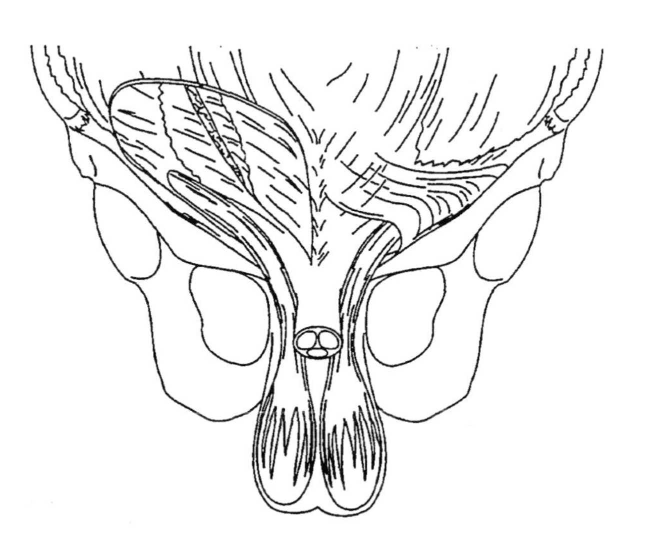

transfusion : transfizyon, bay san, pran san

ultrasound : iltrason

ureter : itè, tib ki soti nan ren ki pote pise nan vesi.

urethra : irèt, ti tib ki pote pise osnon dechaj jous nan pwent penis la.

Urethral discharge : ekoulman

urinalysis : tès pou egzamine pise

urinary bladder : blad pise

urinate : pise, fè pipi

urine catheter : katetè (tib kawoutchou yo mete andedan moun pou fè li pipi).

urine : pipi

urogenital: sistèm pise ak sistèm fè pitit.

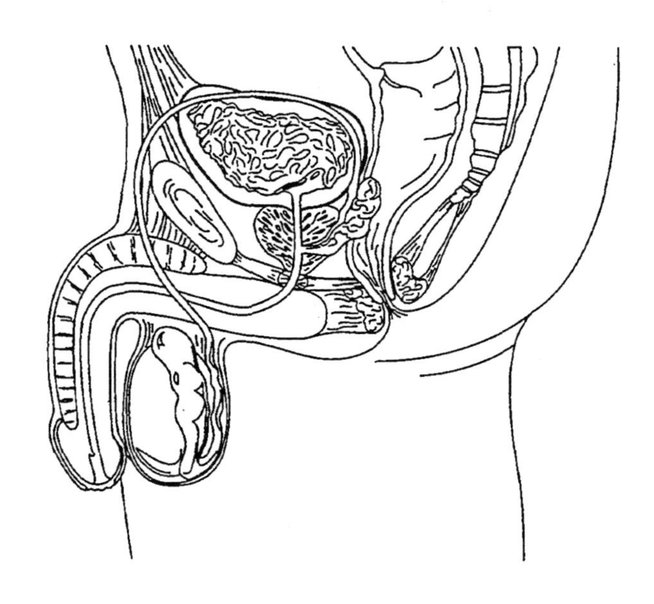

Problems

Pwoblèm

acnea : akne, bouton

alive : vivan

appetite : apeti
loss of appetite : pèdi apeti
Do you suffer from loss of appetite? : Eske ou pèdi apeti ou?

athlete's foot : mayas, pye atlèt

bed sore : maleng kabann

blood : san
Have you had a blood transfusion? : Eske ou te pran san?
blood transfusion : transfizyon san, pran san

cancer : kansè

cataract : katarat

cirrhosis : siwoz

constipation : konstipasyon, pa ka poupou, poupou di

crossed eye : je vewon

dandruff : kap nan tèt

dead : mouri

diaper rash : chofi

drug (prescription) : medikaman

drugs : dwòg
Do you use intravenous drugs? : Eske ou pran dwòg ak sereng?
Have you ever shared needles with **another person?** : Eske ou te janm sèvi

ak menm zegui dwòg ak lòt moun?

ear infection : enfeksyon nan zòrèy

eczema : egzema

fatigue : fatig, kò kraz

gangrene : gangrenn

goiter : gwat

headache : tèt fè mal
Do you have frequent headaches? : Eske ou gen maltèt souvan?

hepatitis : epatit, lajonis

HIV positive : Genyen jèm HIV a nan kò ou
AIDS : SIDA
AIDS virus : viris SIDA
needles : zegui
drugs : dwòg
sexual contact : kontak seksyèl

idiotic : kannannan

illness : maladi

infection : enfeksyon

infectious diseases : maladi atrapan

jaundice : lajonis, lè bil fè je ak po moun vin jòn.

kwashiorkor : kwachòkò

lice : pou

malaria : malarya, palidis

needles : zegui
Have you ever shared needles with **another person?** :
Eske ou konn nan pataje zegui ak lòt moun? Is translation exact enough?

ring worm : pyas

sickly : kata

skin : po
Have you noticed any change in your **skin?** : Eske ou remake kèk chanjman sou po kò ou?

skin rash : chofi

sore : doulè
a sore : yon blesi, iritasyon
infected sore : maleng
bed sore : maleng kabann
sore at the corner of the mouth : bòkyè

strep throat : enfeksyon nan gòj

sty : klou nan je

sweats : swe
night sweats : swe nan dòmi
Do you have nights sweats? : Eske ou swe leswa lè ou ap dòmi?

tic (twitching) : tik

tick (parasite): tik

tinea : pyas

typhoid fever : lafyèv tifoyid

transfusion : transfizyon san, pran san

ulcer : ilsè

vertigo : tèt vire

weakness : feblès, san kouraj

Side Effects

Reyaksyon

agitated : eksite, ajite

blurred vision : wè twoub

depressed : deprime, chagren

dizzy : gen tèt vire

double vision : wè doub

drive : kondi oto
  do not drive : pa kondi oto
  you may not drive a car : ou pa dwe kondi oto.

ears : zòrèy
  ringing in your ears : zòrèy ou ap sonnen

have red spots : gen kote nan po ou ki vin wouj

hungry : grangou

insomnia : pa ka dòmi, gen difikilte dòmi

irritable : chimerik

mouth : bouch
  have a dry mouth : gen bouch sèk

nauseated : gen kè plen

rash : gratèl, lota
  have a rash : gen gratèl
  diaper rash : chofi

sleepy : gen anvi dòmi

taste (n.) : gou
  note a bad taste in your mouth : santi yon move gou nan bouch ou.

thirsty : swaf

urine : pipi
  change in the color of your urine : chanjman nan koulè pipi ou.
  have a different-smelling urine : pipi a gen yon sant li pa abitye genyen.

weak : fèb
  feel weak : gen feblès, santi fèblès

Dermatology

Dèmatoloji

abscess : abse

ache (n.) : doulè

birthmark : anvi

blister : blad, zanpoud

bruise : grafouyen

dermatitis : maladi po

dry skin : po sèch

eczema : egzema

eruption : bouton, enflamasyon sou po

inflammation : enflamasyon

lice : pou

scabies : lagal

scar : mak, sikatris

tumor : timè

ulcer : ilsè

skin : po

itch : gratèl
Try not to scratch : eseye pa grate
These are pills to stop the itching : sa se grenn pou kalme gratèl la.

Burn : brile
Does your skin burn? : Eske ou santi po ou ap boule ou?

Surgery

Chiriji

allergy : alèji
Do you have allergies? : Eske ou konn fè alèji?
Are you allergic to anything? : Eske ou fè alèji ak kichòy?
Have you had a bad reaction from **any medicine?** : Eske ou fè alèji ak kèk medikaman?

anesthesia : anestezi
Has the anesthesia worn off yet? : Eske efè anestezi a pase deja?

bed : kabann
stay in bed : rete nan kabann
The doctor wants you to stay in bed : Doktè a vle ou rete nan kabann ou.

bedpan : vaz
Do you need the bedpan? : Eske ou bezwen vaz la?

bleeding : senyen

blood : san
Did someone take a sample of your **blood?** : Eske yo te pran echantiyon san ou?

bowel : trip
bowel movement : al poupou
When did you have your last bowel **movement?** : Ki dènye fwa ou al poupou?
Let us know if you have a bowel **movement** : fè nou konnen si ou poupou.

breathing : respirasyon
hold your breath : kenbe souf ou
Please take deep breaths : Tanpri, respire fò an plizyè fwa.

cold : fredi
Are you cold? : Eske ou frèt?
It's going to feel cold : ou ap santi li frèt

cough : touse
cough strongly : Touse ak tout fòs ou
cough please : touse, tanpri
cough again : touse ankò
whooping cough : koklich

deep breath : respire trè fò

dentures : fo dan
do you use dentures? èske ou gen fo dan?

Don't be afraid : Ou pa bezwen pè

drink (n.) : bwason
We must measure how much you **drink** : Nou dwe mezire ki kantite likid ou bwè.

drugs : medikaman

feeling : santiman
How do you feel? : Kouman ou santi kò ou?
How are you feeling? : Kijan ou santi ou?

fever : lafyèv
you have a slight fever : ou gen yon ti lafyèv ki pa twò fò
you have a high fever : ou gen yon lafyèv cho

gurney : kad

injection : piki

IV : sewòm
I must check your IV : Fòk mwen tyeke sewòm nan
Your IV is not running : Sewòm nan pap desann

lenses : lantiy
contact lenses : lantiy kontak
Do you use contact lenses? : Eske ou sèvi ak lantiy kontak?

mouth : bouch
open your mouth : louvri bouch ou

numbness : pa santi anyen

operating room : sal operasyon
Did you receive an injection before coming to the operating room? Eske yo te ba ou yon piki anvan ou vini nan saldoperasyon an?
I am going to prep you : mwen pral retire plim ou
How are you feeling? : Kijan ou santi ou?
The operation will take only ___ **hours** : Operasyon an ap dire sèlman ___ èdtan.
Has the anesthesia worn off yet? : Eske anestezi a pase deja?

pain : doulè
Do you need a pill for pain? : Eske ou bezwen grenn pou doulè?
Do you have pain? : Eske ou gen doulè?

pill for pain : grenn pou doulè

pneumonia : nemoni

position : pozisyon
Bring your knee to your abdomen: Leve jenou ou rive sou vant ou
Bring your chin down toward your **chest** : Bese manton ou nan nivo pwatrin ou.
Bend your elbow : Pliye koud ou
Make a fist : Fèmen men ou
You must lie flat : Fòk ou kouche plat

prescription : preskripsyon
Here is a prescription : men yon preskripsyon

pressure : presyon
blood pressure : tansyon
I am going to take your blood **pressure** : Mwen pral pran tansyon ou
Your blood pressure is normal : Tansyon ou nòmal
Your blood pressure is low : Tansyon ou ba
Your blood pressure is high : Tansyon ou wo
Roll up your sleeve : Woule manch chemiz (kòsaj [blouse] osnon rad [clothes]) ou
I am going to listen to your chest : Mwen pral tande son ki nan pwatrin
Take a deep breath : Respire yon fwa pwofondeman

pulse : pou, batman kè
Let me feel your pulse : Te mwen tyeke pou ou
Your pulse is too rapid : Pou ou bat twò rapid
Cough please : Touse pou mwen tanpri
Cough again : Touse ankò
chest : pwatrin, kòflestomak

I am going to listen to your chest : Mwen pral tande son ki soti nan pwatrin ou

Take a deep breath : Respire yon fwa pwofondeman (antre lè nan poumon ou otan ou kapab)

reaction : reyaksyon

result : rezilta
You will know the result tomorrow : W ap jwenn rezilta a demen

sample of blood : echantiyon san

scale : balans
Step on the scale : Kanpe sou balans la

Shave (man) : fè la bab
shave (woman): retire plim ou.

short of breath : souf kout, difikilte pou respire

sleep : dòmi
make you sleep : fè ou dòmi

specimen : echantiyon

stomach : lestomak

suction the tube : rale nan tib la

teeth : dan
dentures : fo dan

temperature : tanperati

urinate : pipi, fè pipi

urine : pipi
Do you have pain with urination? : Eske ou gen doulè lè ou pipi?

Do you urinate frequently? : Eske ou pipi souvan?

Please save your urine : Tanpri, sere pipi ou, pa jete li.

Diet and Nutrition

Dyèt ak Nitrisyon

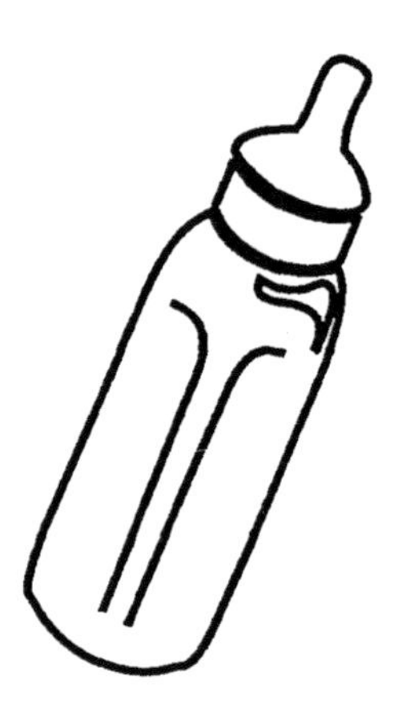

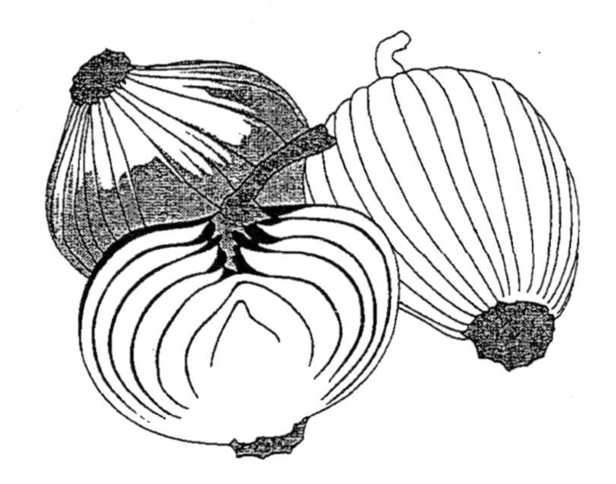

avocado : zaboka

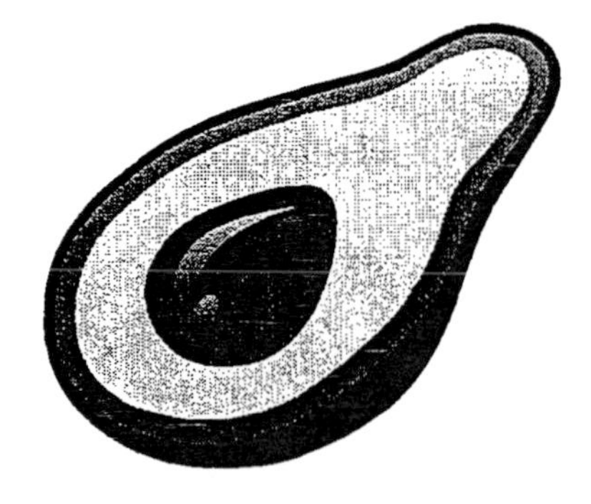

apple : pòm

banana : bannann, fig
banana bunch : rejim bannann

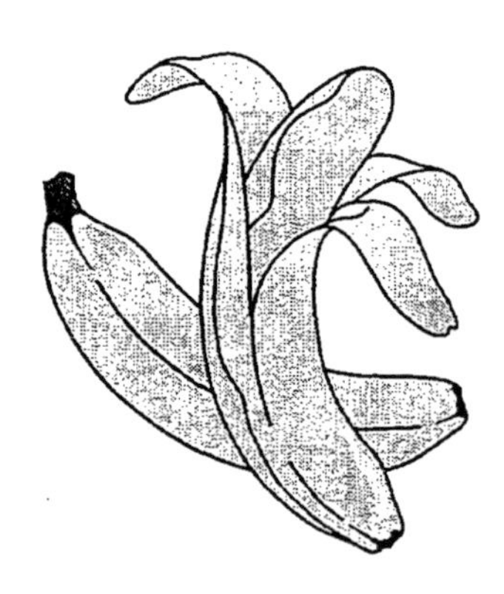

bouillon : bouyon san ma

bread : pen
whole wheat bread : pen ble antye

bread : pen
white bread : pen blan

broth : ji bouyon
clear broth : ji bouyon san ma

calories : kalori, enèji ki nan manje

calory : kalori
How many calories are you eating? :
Konbyen kalori ou pran nan manje?

carbonated beverages : soda, kola, bwason ki gen gaz ladan yo

carrots : kawòt

chewing : moulen, mastike

chiken : poul

cholesterol : grès ki sot nan bèt.

coffee : kafe
black coffee : kafe san lèt

cooked cereal : labouyi, sereyal kuit

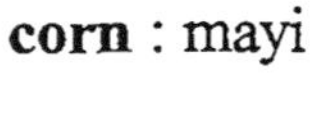

corn : mayi

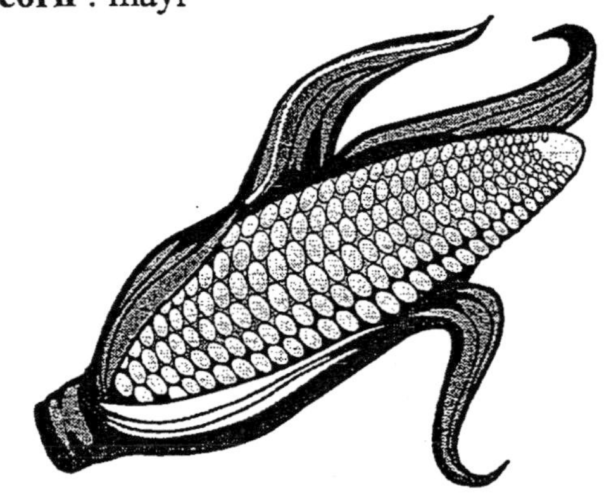

cream : krèm lèt

dairy products : manje ki genyen lèt

dentures : fo dan, ratelye

dessert : desè

diet : dyèt
guidelines : sa pou ou fè
foods included : manje ki nan dyèt la
liquid diet : dyèt likid
restricted diet : dyèt ki gen kontwòl ladan li
low protein : ki pa gen anpil pwoteyin

dietitian : dyetetisyen

drink : bwason : bwason likid tankou kafe, ji, byè
carbonated beverages : soda, kola, bwason ki gen gaz ladan yo
egg: ze
poached egg : ze ole

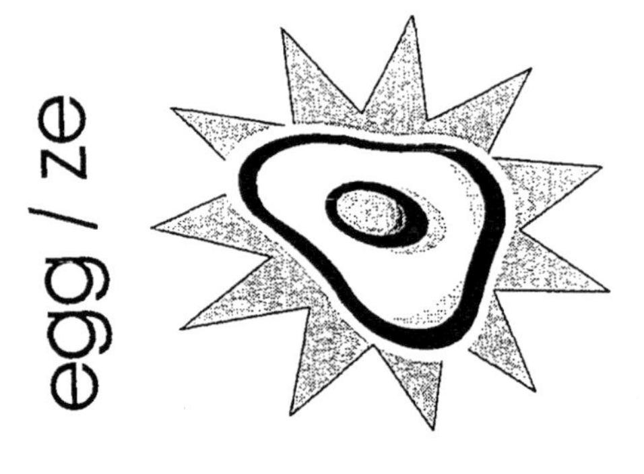

food : manje
Are you full? Eske vant ou plen?
foods to avoid : manje pou ou evite
foods included : manje ki nan dyèt la
foods not recommended : manje nou pa ta renmen ou manje

full : plen, vant plen

grape : rezen

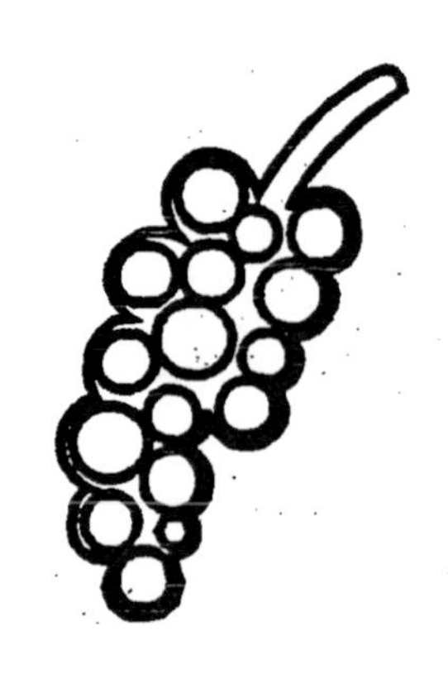

grains : sereyal tankou diri, mayi, pitimi.

hungry : grangou
Are you hungry? : Eske ou grangou?

hyperglycemia : sik nan san ki twò wo, ipèglisemya

hypoglycemia : sik nan san ki twò ba, ipoglisemya

jello : jelo
plain jello : jelo san anyen ladan li

juice : ji
clear juice : ji klè, san ma

lard and fat : mantèg ak grès

lemon : sitwon

legumes : pwa sèk ak pwa vèt

meals : repa, lè manje

meats : vyann

menu : lis manje

sample menu : egzanp lis manje
Do you need help with your menu?: Eske ou bezwen yon moun ede ou chwazi manje ou vle a?
Do you need your food mechanically **softened?** : Eske ou bezwen nou kraze manje a pou ou nan machin?
Do you need your food pureed? : Eske ou bezwen nou moulen manje a tankou yon pire pou ou?

milk : lèt

nonfat milk : lèt san grès
8 ounces of milk : 8 ons lèt
non-dairy creamer : poud pou ranplase lèt

nutritionist : nitrisyonis

oatmeal : avwàn

orange : zoranj

orange juice : ji zoranj, ji doranj

papaya : papay

pear : pwa

green pea : pwa vèt

pepper : pwav

pizza : pitza

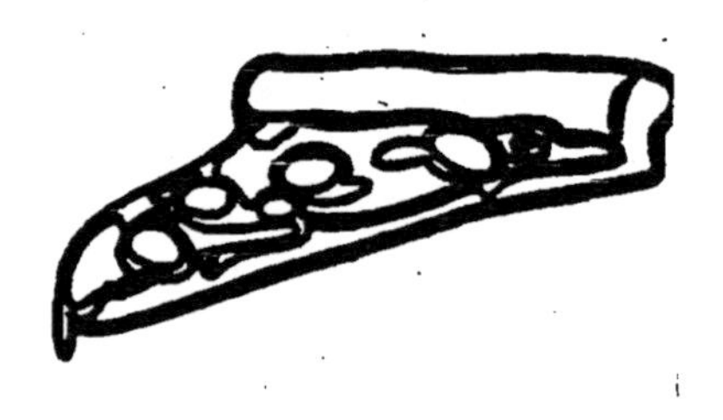

popsicle : krèm

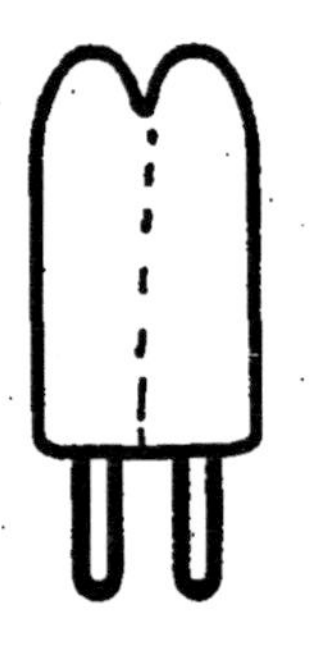

salt and pepper : sèl ak pwav

salt : sèl

seafoods : bèt lanmè, fuidemè

shrimp : krevèt

sliced turkey : tranch kodenn

snack : kolasyon, pase bouch, goute
bedtime snack : kolasyon anvan ou ale dòmi
Do you want snacks between meals? Eske ou vle kolasyon ant repa ou yo?

sodium : sodyòm
minimum of sodium : tikras sodyòm, ki pa gen anpil sèl

sugar : sik
sugar and salt : sik ak sèl
sugar intake : kantite sik yon moun pran

thirsty : swaf
Are you thirsty? : Eske ou swaf?

toast : pen griye
2 slices of toast : 2 tranch pen griye

toast : tranch pen griye

tomato : tomat

vegetables : legim, salad

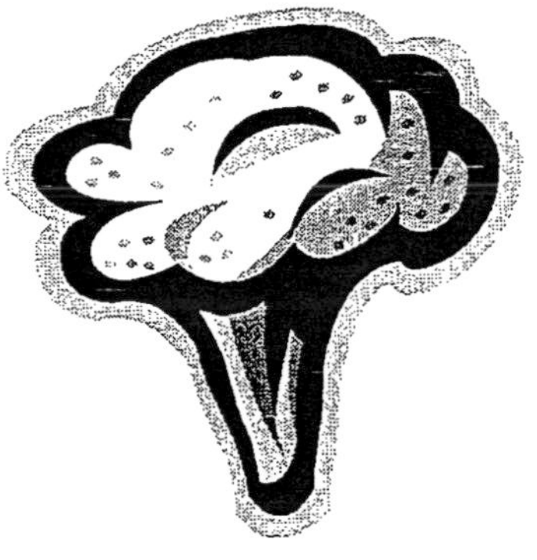

water : dlo

weight : pwa, pèz

Have you gained weight? : Eske ou gwosi

Have you lost weight? : Eske ou pèdi pwa?

Have you had a weight problem most **of your life?** : Eske ou te toujou genyen pwoblèm pou kontwole pwa ou depi lontan?

Equipment and Supplies

Ekipman ak Materyèl

adhesive tape : adezif

bandage : pansman

bathtub : basen

bed : kabann

blanket : lenn

blood transfusion : pran/bay san

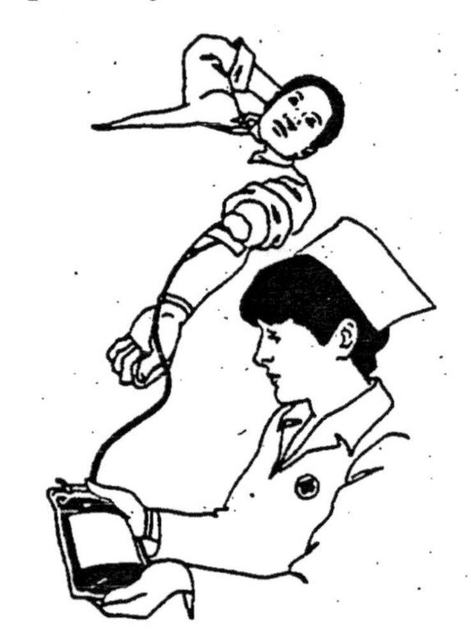

brace : anplat

cane : beki, baton

catheter : katetè

crutches : beki

curtains : rido

dropper : konngout

emergency kit : bwat ijans (bwat ki gen tout sa ki nesesè oka ijans) twouso

enema : lavman

first aid : premye swen

floor : planche

gauze : twal gaz

hearing aid : zouti ki pou ede moun tande pi byen

massage : masaj

medicine cabinet : bifèt pou mete medikaman

microscope : mikwoskòp

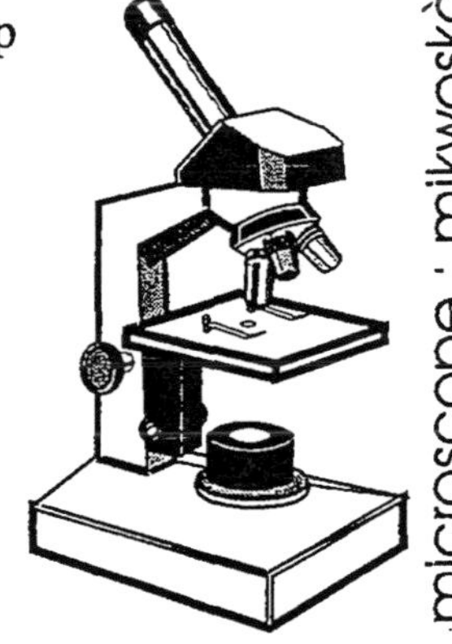
microscope : mikwoskòp

pill (birth control) : grenn pou pa fè pitit

pillow : zòrye

pitcher : pot dlo

safety pin : zepenn kouchèt

sheet : dra

shower : beny, benyen

soap : savon

stethoscope : estetoskòp, sonn

straw : chalimo

support : sipò

syringe : sereng

thermometer : tèmomèt

thermometer : tèmomèt

toilet : twalèt

toothbrush: bwòsadan

towel : sèvyèt

vaccination : vaksinasyon

vaccine : vaksen

walker : machèt, aparèy pou mache

wastebasket pànye fatra

wheel chair : chèzwoulant

window : fenèt

x-ray : radyografi

Folk Medecine Vocabulary : Vokabilè Medsin Fèy

Biskèt tonbe : condition marked by sternal pain (Dr. Mirville)
bonnanj : soul
chofrèt : a sudden elevation of temperature of the male genitalia due to gonorrhea (Dr. Mirville)
depale: to rant, delirium
difejennès : acnea
dosou : a boy born after a twin
fanmsaj : midwife
fredite : cold
gerisè : herb healer
karanndiseyas : condition where one gets at once a set of the main venereal diseases. (Dr. Mirville)
kè mare : depression, anxiety
kè sere : sadness
kè sou biskèt : anxiety
kouri : symtom of psychosis marked by agitation (Dr. Mirville) Also means diarrhea.
Lètpase : cessation of lactation in post-partum following an emotional upset (Dr. Mirville)
Maklouklou: hydrocele or scrotal hernia (Dr. Mirville)
mal damou : lovesickness
maladi Bondye: illness of natural cause
maladi doktè : illness of natural cause
maladi lèzòm : illness caused by supernatural causes
malchans : bad luck
maldyòk: evil spell
malfektè : evildoer
malfezans : dirty trick (sorcery), witchcraft
malkadi : epileptic convulsion
manje ranje : poisonned food
move je : evil eye
pèdisyon : menorrhagia
pinga seren : poison that is acting slowly
pwoteksyon : surnatural protection
rechit : relapse
refwadisman : chill illness
rejete : abandon a practice
renmèd fèy : folk medicine
rèv : dream
san sal : the idea that the blood is soiled because of a toxic or infectious condition in the body.
sansi : leech
sezisman : emotional upset
siprime : to stop normal development
teledyòl : word of mouth, radyodyòl
toumant : relentlessness
uterus : lanmè, matris
vantmennen : diarrhea
vantouz : cupping glass
vòlè tete : breast stealing (when the child returns subrepticely to the breast after weaning)

Index 1

Alfabetical Listing of the English Entries

Lis Mo Angle yo nan Lòd Alfabetik

abdomen : vant
lower abdominal pain : doulè anba tivant

abdominal pain : vant fè mal, doulè nan vant

abortion : avòtman

abrasion : kòche, grafouyen

abscess : abse

accident : aksidan

ache : doulè

acid : asid

acnea : akne, bouton, difedjennès

address : adrès

adhesive tape : tep, adezif

adrenal glands : glann sirenal

afraid : pè, gen laperèz, kaponnen

after birth : apre akouchman

age : laj
How old are you?: ki laj ou?

agitated : eksite, ajite

AIDS : SIDA

AIDS virus : viris SIDA

alcohol : alkòl
alcohol drink : bwason alkòl

alive : vivan, anvi

allergies : alèji

amoeba : amib, mikwòb

amphetamine : anfetamin

amputation : anpitasyon, koupe yon manm (janm, pye osinon bra)

anatomy : anatomi

anesthesia : anestezi

anesthetize : andòmi

angina: doulè nan kè

ankle : chevi, jepye

antacid : anti-asid

antibiotic : antibyotik

antihistaminic : anti-istaminik

anus : twoudèyè

aorta : gwo kannal san wouj

appendicitis : apendisit, anflamasyon

apendis

appendix : apendis

appetite : apeti
  loss of appetite : pa gen apeti, apeti koupe.

apply : mete

appointment : randevou

arch : koub

areola : areyòl (sèk ki alantou pwent tete a)

arm : bra

armpit : anbabra, anba zèsèl

artery: atè, kannal san wouj

arthroscopy : egzamen pou enspekte andedan jwenti

ascorbic acid : asid askòbik, vitamin C (se)

aspirin : aspirin

asthma : opresyon

athlete's foot : mayas, pye atlèt

auricle: oreyèt, (pati nan kè).

authorization : otorizasyon

baby : bebe, tibebe
  term baby : tibebe ki fèt sou nèf mwa

baby bottle : bibon, bibwon

baby oil : luil bebe

back : do , dèyè do
  lower back : bout anba do-a

backache : doulè nan do, maldo

backbone : kolòn vètebral, zo rèldo, zo chini-do

bacteria : bakteri

balanced diet : dyèt ki balanse, dyèt ekilibre (ki gen tout kalite manje ladan l)

balance : ekilib

balloon surgery: operasyon pou debloke kannal san ak yon ti balon

band-aid : pansman

bandage : pansman, bandaj

bath towel : sèvyèt deben

bathtub : basen, basinèt

beating : batman

bed : kabann

bed sore : maleng kabann

bedpan : vaz, potchanm
  Do you need a bedpan? : Eske ou bezwen yon vaz?

bedtime : lè dòmi
  before bedtime : anvan ou al dòmi

bedtime snack : kolasyon anvan ou ale dòmi

bedwetter : pisannit

before : anvan
  before exercise : anvan egzèsis

belly pain : doulè nan vant

belly : vant

biceps : bibit, bisèp

bile : bil

birth certificate : batistè

birth control pill : grenn pou pa fè pitit

birth control : plannin, kontwòl sou kantite pitit ou vle fè.

birth : lè timoun fèt, nesans

birthmark : anvi

bladder : blad pipi, vesi.

blanket : lenn

bleeding : senyen, emoraji

blister : blad, zanpoud

bloated : gonfle, anfle, plen

blockage: blokaj

blood circulation: sikilasyon san

blood disease : maladi nan san

blood pressure : tansyon, presyon san
  high blood pressure: tansyon wo

blood sample : priz san

blood : san

blood test : tès san

blood transfusion: transfizyon san

blood type : gwoup san, gwoup sangen

blood vessel : kannal sikilasyon san (venn)

bloody : senyen, an san, beyen an san

blurred vision : wè twoub

body : kò

boil (v.): bouyi

boiled water : dlo bouyi

bone : zo

bone scan : egzamen pou wè sa ki andedan zo.

bone transplant : grèf zo, mete pou yon moun zo ki pa te pou li.

bottle : bibwon

bottle feed : bay manje nan bibwon.

bouillon : bouyon san ma

bowel movement : fè poupou, ale nan watè

bowel : trip

brace : aparèy òtopedik

brain injuries : chòk nan sèvo

brain : sèvo

bread : pen
  whole wheat bread : pen ble antye
  white bread : pen blan

breast pump : ponp pou retire lèt nan tete.

breast : tete, sen

breast-feed : bay tete

breath : souf, respirasyon
  deep breath : respire fò
  out of breath : pèdi souf, souf koupe
  shortness of breath : souf kout
  hold breath : kenbe souf
  exhale : lage souf
  inhale : pran souf, respire

breathe : respire
  breathe normally : respire nòmalman

breathing : respirasyon

breech : dèyè timoun nan parèt anvan

bronchitis : bwonchit, enfeksyon nan bwonch

bronchus : bronch

broth : ji bouyon
  clear broth : ji bouyon san ma

bruise : grafouyen

burn : brile

burning : brili, boule, brile

burning on urination : pipi brile

burp (a baby) : fè tibebe rann gaz

burp (v.) : rann gaz

buttocks : dèyè, fès

calamine : kalamin

calcium : kalsyòm

calf : mòlèt

calm : kal, trankil, rete dousman
  Please remain calm : Tanpri, rete kal

calories : kalori, enèji ki nan manje

cancer : kansè

cane : baton

capillary vessels: ti kannal sikilasyon san (ti venn)

capsule : kapsil, grenn

cardiology : kadyoloji

care : swen
  good care : swenyay, bon swen
  take care of : pran swen, okipe

cartilage : katilaj, tisi fèm men elastik, ki sèvi pou tache zo yo.

cast : anplat, aparèy

castor oil : luil derisen

cat scan: Teknik ki montre andedan kò moun

cataract : katarat

catheter: sonn, katetè

central nervous system : sistèm nève santral

cerebellum : serebelòm, ti sèvo, sèvelè

cerebral palsy : maladi paralezi sèvo

cerebrum : serebwòm, sèvo

cervix : kòl matris, antre matris

cesarean section : sezaryèn

chair : chèz
    wheel chair : chèz woulant

check : tyeke, ekzaminen

cheek : ponmèt

chest cold : rim pwatrin

chest : kòf lestomak, pwatrin, pwatray

chest oppression : santi presyon nan kòflestomak

chew : moulen

chewing : moulen, mastike

child birth : akouchman

chills and fever : lafyèv ak frison

chills : frison

chin : manton

chlamidia : klamidya (mikwòb ki ka bay maladi sèks ak lòt maladi tou)

choke: toufe, mal pou respire, trangle.

choking : toufe

cholesterol: kolestewòl, (grès ki kab bouche kannal san).

circumcision : sikonsizyon, koupe ti po ki kouvri tèt pijon tigason

cirrhosis : siwoz

clinic : klinik

clitoris : krèk, langèt

clot: boul san kaye, kayo san

clothes : rad

cocaine : kokayin

coccyx : kòksis, zo koupyon

cod liver oil : luil fwadmori

codeine : kodeyin

coffee : kafe
    black coffee : kafe san lèt

cold (n.) : fredi, anrimen
    Are you cold? : Eske ou frèt?

colic : kolik, vant fè mal

collar bone : zo salyè

colonoscopy : egzamen pou wè andedan gwo trip la

color : koulè

colostrum : kolostwòm (premye lèt ki soti nan tete manman an)

colposcope : zouti pou gade kòl iteris (matris) ak vajen.

colposcopy : egzamen pou gade vajen ak kòl matris

coma : koma

come back : retounen ankò

come : vini

comfortable : konfòtab, alèz

communicable disease : maladi atrapan

complain : plenyen

complaint : plent

complications : konplikasyon

compress : konprès

condom : kapòt, kondon, prezèvatif

consciousness : konesans
	lose consciousness : pèdi konesans
	regain consciousness : revni, reprann konesans

constipated : konstipe
	Are you constipated? : Eske ou konstipe?

constipation : konstipasyon

contact lens : vè kontak

contagious : atrapan, kontajye

contraceptive cream : krèm prezèvatif, (ki fèt pou moun pa fè pitit).

contraceptive foam : kim (ki fèt pou moun pa fè pitit).

contraceptive : pilil, grenn pou pa fè pitit.

contraction : tranche

convulsions : kriz, kriz tonbe, kriz malkadi

cooked cereal : labouyi, sereyal kuit

cord : kòd

corn : kò

cornea : glas zye

cortisone : kòtizòn

cotton : koton

cotton balls : boul koton wat

cough (n.) : tous
	whooping cough : koklich

cough blood : touse san

cough drops : sirèt pou tous

cough phlegm : tous ki mache ak flèm

cough syrup : siwo pou tous

cough : tous (n), touse (v)
	Cough strongly : Touse ak tout fòs ou
	Cough please : Touse, tanpri

Cough again : Touse ankò
whooping cough : koklich

CPR : resisitasyon kè yon moun ki rete, fè kè a retounen bat ankò.

cramp (abdominal) : doulè nan vant, vant fè mal

cramp (muscular): kranp, lakranp, doulè nan miskilati

cramping : doulè tranche

cranky : chimerik

cream (food) : krèm lèt

cream (skin) : krèm pou po

crib : bèso

cross-eyed : je vewon

crotch : fouk

crutch : beki

cry : kriye, rele

cure : swen, tretman

cured : geri

curettage : kitaj

curtains : rido

cyst : kis, boul

cystoscopy : egzamen pou gade andedan blad pise (vesi)

dairy products : manje ki genyen lèt

dandruff : kap nan cheve

daughter : pitit fi

day : jou

dead : mouri

death : lanmò
cause of death : kisa ki lakòz lanmò a

deep breath : respire trè fò

delivery : akouchman, delivre
expected date of delivery : dat yo kalkile ou ap akouche
spontaneous delivery : akouchman nòmal

dental problems : problèm dan

dentures : fo dan, ratelye
do you use dentures? èske ou gen fo dan?

depressed : deprime

dermatitis : maladi po anfle

dermatology : dèmatoloji

desinfectant : dezenfektan

desitin : krèm desitin

dessert : desè

diabetes : dyabèt

diafragm : dyafram

dialysis : dyaliz (teknik ki pèmèt netwaye san yon moun ki pa gen bon ren)

diaper : kouchèt, panmpèz

diaper rash : chofi

diaphragm : dyafram

diarrhea : dyare

diet pills : grenn pou kontwole apeti

diet : dyèt, rejim

high calorie diet : dyèt ki gen anpil kalori.

protein diet : dyèt ki gen anpil pwoteyin

regular diet : manje toulejou, dyèt nòmal

soft diet : dyèt mòl, rejim manje mou

liquid diet : dyèt likid

dietitian : dyetetisyen

digestion trouble : move dijesyon, pwoblèm pou dijere

digestive system : sistèm dijestif

dilute : dilye, melanje, deleye

diphtheria : difteri

discharge : likid, dlo ki soti nan kò

vaginal discharge : likid ki soti nan bouboun, pèt

discomfort : malalèz, doulè ki pa twò fò

discuss : diskite

disease : maladi

disk : plak zo do

dissolve : deleye

dissolved in : fonn nan, deleye nan

distilled water : dlo distile

diuretic : diretik, medikaman pou pipi

dizziness : tèt vire, anvi endispoze, toudisman

dizzy : gen tèt vire

doctor : doktè

dosage, dose : dòz, kantite

double vision : wè doub

douche : lavaj vajen, douch vajen

dressing : pansman, twal gaz

drink (n.) : bwason

drink (v.) : bwè

dripping nose : anrimen, nen ki ap fè larim

drive : kondi oto

Do not drive : Pa kondi oto

You may not drive a car : Ou pa dwe kondi oto.

drool : bave

dropper : konngout

drops (n.) : gout

drown : nwaye, neye

drugs : medikaman, dwòg

drunk : sou

dry (v.) : seche

dry skin : po sèch

due date : dat akouchman

dysentery : kolerin, dyare

ear discharge : pi osnon dlo ki ap soti nan zòrèy

ear drum : tenpan, tande zòrèy

ear infection : enfeksyon nan zòrèy

ear : zòrèy

earache : malzòrèy, doulè nan zòrèy

eat : manje

ectopic pregnancy : gwosès ektopik, (ki pa chita nan matris)

eczema : egzema

egg: ze

ejaculation : voye dechaj

ejaculatory duct : tib pou ejakile

elbow : koud

electrical feeling : yon sansasyon kouran elektrik pase

electrocardiogram: elektwokadyogram (teknik pou wè kijan kè a ap mache).

emergency kit : bwat ijans (bwat ki gen tout sa ki nesesè oka ijans)

emergency : ijans

emotional upsets : movesan

emphisema : enfizèm, anflamasyon nan poumon

encephalitis : maladi enflamasyon sèvo

endoscopy : egzamen pou gade andedan kò moun, andoskopi.

enema : lavman
barium enema : lavman ak baryòm, lavman barite

enriched : anrichi, ki gen vitamin anplis

epidemic : epidemi, lè anpil moun gen menm maladi

epidural : anestezi epidiral, piki anestezi nan zòn basen pou ede akouchman

epidural anesthesia : anestezi nan do pou doulè akouchman

epilepsy : malkadi, maladi tonbe, kriz malkadi, maladi kimen

epsom salt : sèldepsonn

erection : ereksyon, bann, lè pijon gason kanpe.

eruption : bouton, enflamasyon sou po

esophageal bleeding : gòjèt ap senyen, emoraji lezofaj

esophagus: ezofaj, gòjèt, tib kote manje pase pou li ale nan lestomak.

every other day : chak de jou

exam : konsiltasyon

examination : konsiltasyon

examine : konsilte

exhale : lage souf

exhaustion: gwo fatig

eye drops : gout pou je

eye glasses : linèt

eye : zye , je
eye discharge- "sleepies" : lasi

eyebrow : sousi

eyelash : plimje

eyelid : popyè, poje

face : figi

facial skin : po figi

faint: endispoze

fainting : endispozisyon

fainting spells : endispoze, pèdi konesans

fallopian tube : twonp falòp

family : fanmi

family planning : planin, kontwole kantite timoun moun ap fè

fasting : ret san manje, ajen

fat: gwo, gra , grès

fatigue : fatig, kò kraz

feces : poupou

feel : santi

feeling : santiman
How do you feel? : Kouman ou santi kò ou?

feet : pye yo
foot : pye

fetus : fetis, tibebe nan vant anvan twa mwa gwosès

fever : lafyèv
a slight fever : yon ti lafyèv ki pa twò fò
a high fever : lafyèv cho

fibroids : fibwòm

finger : dwèt
index finger : lendèks, dwèt bouwo
little finger : ti dwèt, orikilè
middle finger : dwèt mitan, dwèt lemajè, gwo dwèt
ring finger : dwèt bag, lànilè
thumb : dwèt pous

fingernails: zong dwèt

fingertip : pwent dwèt

fire : dife

first aid : premye swen

fist : pwen

flesh : chè, vyann

floor : planche

flu : grip sezon ki mache ak rim epi ak lafyèv

flu like symptoms : sentòm tankou ou ta gen yon grip sezon

foam : kim

foley catheter : tib fleksib ki sèvi pou kondi pise depi nan vesi (blad pise) pou soti deyò.

Folk medecine : medsin fèy

follow-up : lòt randevou apre randevou jodi a

fontanelle : fontenn tèt, fontanèl

food : manje
liquid food : manje likid
solid food : manje solid
What foods disagree with you? : Ki kalite manje ou pa ka tolere?

forceps : fòsèp

forearm : anvanbra, (pati bra ant men ak koud)

forehead : fwon

formula for babies : lèt bwat pou tibebe

formula : lèt nan bwat pou tibebe

fracture : frakti, zo kase

full : plen, vant plen

fungus : mikwòb, chanpiyon.

gallbladder : blad bil, sak bil, vezikil bilyè

gangrene : gangrenn

gargle : gagari

gas : gaz
pass gas : rann gaz
Do you get gas pains? : Eske ou genyen gaz kenbe ou?
Do you burp a lot? : Eske ou rann anpil gaz?

gasp : sifoke, toufe

gassy : gen anpil gaz

gauze : twal gaz

genitals : pati sèks, pati jenital

germ : jèm, mikwòb

gestation : peryòd tibebe a fè nan vant manman l

get up : leve

GI tube : tib lezofaj (pou met manje dirèkteman nan lestomak)

give birth : akouche

glands : glann, boul
adrenal glands : glann sirenal

glove : gan

glucose : glikoz, sik

goiter : gwat

gonorrhea : gonore, ekoulman, chodpis, grann chalè

groin : lenn

gum : jansiv

gurney : kad

gynecologist : jinekològ, doktè ki pran swen pati sèks fi.

gynecology : jinekoloji

H.I.V. : viris SIDA

habit : abitid, mani

hair (head) : cheve
hair (of the body) : pwal, plim
hair (pubic) : plim, pwèl, pwal

hand : men
    palm of the hand : plamen

hangover : malmakak

hard : di

head perimeter : mezi alantou tèt

head : tèt

headache : maltèt
    persistent headache : maltèt ki dire lontan

heal : geri

health : sante

healthy : an sante

hearing aid : aparèy pou ede moun tande pi byen

heart attack: kriz kadyak

heart burn : brili lestomak, dlo si sou lestomak, lestomak brile

heart condition : pwoblèm kè, maladi kè

heart disease : maladi kè

heart : kè

heart pounding or racing: batman kè ki fò

heart trouble : pwoblèm kè

heart valve : vav kè

heart valves: vav kè ki kontwole pasaj san.

Heartbeat : batman kè
    skipped heartbeats : batman ki pa regilye

heartburn : lestomak brile

heavy : lou
    heaviness sensation: santi ou lou

heel : talon

height : wotè

Help! : Sekou! Anmwe sekou!

hematoma : konkonm, san ki chita yon kote ki gen yon blesi pa andedan.

hemorrhage : emoraji, pèdi san, seyen

hemorrhoids : emowoyid

hepatitis : epatit, lajonis

herniated disk : èni nan plak zo rèldo a

herpes : èpès, enfeksyon ki fè po moun fè glòb.

high blood pressure : tansyon wo

high fever : gwo lafyèv.

high risk : ris la wo, an danje

hip : anch, ranch, tay, senti, ren

HIV positive : Genyen jèm HIV a nan kò ou

hold : kenbe

hormone : òmòn

hospital : lopital

hospitalisation : entène, rantre lopital

hot : cho

hot flashes : santi chalè ap monte nan kò

hot water : dlo cho

hour : è, èdtan
one-half (1/2) hour after meal : demiyèdtan apre manje
one-half (1/2) hour before meal : demiyèdtan anvan manje

How often? : Konbyen fwa?

hungry : grangou
Are you hungry? : Eske ou grangou?

hurt : (a., v.): blese, fè mal
It will not hurt : Li pap fè ou mal.
Tell me if this hurts : Di mwen si sa a fè ou mal

hydrocele : maklouklou

hyperglycemia : sik nan san ki twò wo, ipèglisemya

hypoglycemia : sik nan san ki twò ba, ipoglisemya

hypothalamus : ipotalamis (pati sistèm nève ki anndan tèt la)

I.V. : nan venn, entravenez

I.V.P. (Intravenous pyelography) : tès ki pèmèt yo fè yon radyografi sistèm pise.

ice : glas

identification : idantifikasyon

idiotic : kannannan

ileectomy : operasyon pou retire moso nan trip.

illness : maladi

immunization-vaccine : vaksen pou iminizasyon

impotence : enpuisans, pa ka bande, pa gen bann, lè pijon an pa ka kanpe.

incision : koupe ak sizo

increased swelling : anflamasyon ki ap ogmante, ki vin pi gwo.

incubator : kouvez (kote yo mete tibebe ki fèt anvan lè)

indigestion : dijere mal, gonfle, move dijesyon.

infant : tibebe, anvan ennan

infected : enfekte

infection : enfeksyon

infectious disease : maladi atrapan

inflammation : enflamasyon

influenza : grip

inhale : pran souf, respire

injection (shot) : piki

injure : blesi, frape

injury : aksidan, blese, frape

insert : foure, rantre

insomnia : pa ka dòmi, gen difikilte dòmi

instep : kanbri

intercourse : fè sèks

intestines : entesten, trip
  small intestines : ti trip
  large intestines : gwo trip

iodine : yòd

iron : fè

iron pills : fè, grenn fòtifyan

irritable : chimerik, rechiya

itch : gratèl, pikotman

itching sensation : demanjezon

IUD : esterilè

IV : nan venn, entravenèz, sewòm

jaundice : lajonis, lè bil fè je ak po moun vin jòn.

jaw : machwa

jello : jelo
  plain jello : jelo san anyen ladan li

joints : jwen, jwenti

juice : ji
  clear juice : ji klè, san ma

kicks : kout pye

kidney : ren

kidney stones : pyè nan ren

kidney trouble : pwoblèm nan ren

knee : jenou

kneecap : zo jenou, kakòn jenou

knuckle: jwenti dwèt yo

kwashiorkor : kwachòkò

labor (childbirth) : tranche

lard and fat : mantèg ak grès

laxative : pigatif, medsin, pij

left : goch

left-handed : goche

leg : janm

legumes : pwa sèk ak pwa vèt

lenses : lantiy
    contact lenses : lantiy kontak

lesion : blesi, maleng

lethargic : kò kraze, san kouray

lethargic : san kouraj, kò lage, kò kraz

lethargy : ki pa gen kouraj, kò lage

lice : pou

ligaments : ligaman (tisi elastik ki kenbe zo ak mis)

limb : manm

limp (v.) : bwete

lips: po bouch

liquid : likid

liquid medicine : medikaman likid

liver : fwa

loss of balance : pèdi ekilib.

lotion : losyon, krèm

lower back pain : doulè nan do sou anba

lower back : senti

lukewarm : tyèd

lump : boul

lump in the breast : boul nan sen

lumps : boul

lung cancer : kansè poumon

lung problem : pwoblèm poumon

lung : poumon

M.R.I. (Magnetic Resonance Imaging) : Teknik pou wè anndan kò moun ak aparèy elektwonik.

malaria : malarya, palidis

male reproductive system : sistèm pou gason fè pitit

marital status : eta sivil

marked pallor: blèm anpil

marrow : mwèl ki andedan zo

massage : masaj

mastitis : anflamasyon tete akòz enfeksyon

meals : repa, lè manje

measles : lawoujòl

medication : medikaman

measure : mezire

meats : vyann

meconium : mekomyòm (premye poupou ki soti nan vant tibebe ki fèk fèt)

medical supplies : materyèl medikal

medications : medikaman

required medications : medikaman ou dwe pran
Is he/she taking any medications? : Eske li ap pran medikaman?
What kind? : Ki kalite
For the heart? : Pou maladi kè?
For the lung? : Pou maladi poumon?
Insulin? : Ensilin?

medications : medikaman

medicine : remèd, medikaman

medicine cabinet : bifèt pou mete medikaman

memory disorder : pwoblèm memwa, pa kapab sonje, maladi pèt memwa

meninges : menenj, tisi ki vlope sèvo a

meningitis : menenjit (enflamasyon tisi ki vlope sèvo)

menopause : menopoz, lè fi rete.

menstrual period : règ chak mwa

mental : mantal

mental disorders : maladi mantal

mental health : sante mantal

mental retardation : retade mantal, entatad

menu : lis manje

microscope : mikwoskòp

migraine : maltèt ki nan yon bò tèt la sèlman

milk : lèt
mother's milk : lèt manman
engorged : angòje, twòp lèt nan tete manman an
colostrum : kolostwòm (premye lèt ki soti nan tete manman an)
nonfat milk : lèt san grès
8 ounces of milk : 8 ons lèt
non-dairy creamer : poud pou ranplase lèt

milk of magnesia : lètmayezi

mineral oil : luil mineral

miocardial infarction: Kriz kè, enfaktis miskilati kè.

miscarriage : foskouch, avòtman envolontè

moan : plenn

molar : dan dèyè

mom : manman

morning : maten
  in the morning : lematen

morphine : mòfin

mother : manman

mother's milk : lèt manman

mouth : bouch
  by mouth : pa bouch
  open your mouth : louvri bouch ou

move : bouje
  Please don't move : Tanpri, pa bouje

mucus : glè

mucous stool : poupou ki gen glè.

mucus (nasal) : larim, glè ki soti nan nen

mucus (phlegm) : flèm, glè

mumps : malmouton

murmur (heart) : bri nan kè

muscle : mis, miskilati

mutiple sclerosis : esklewoz anplak, yon maladi sistèm nève santral

nail cutter : tay zong

nail : zong

naked : toutouni

name : non
  last name : siyati
  first name : tinon

nap : kabicha, dòmi lajounen

nasal congestion : nen bouche, konjesyon nazal

nausea : kè plen, anvi vomi.

nauseated : gen kè plen

navel : lonbrit

neck : kou

need : bezwen

needle : zegui

nerve : nè

nervous disorders : maladi nè, twoub mantal

neurology : newoloji

night : nuit

nipple (bottle) : tetin

nipples : pwent tete
  aureola of nipples : wonn tete

nose : nen

nosebleed : nen senyen

nostrils : twou nen

nourishing : nourisan, ki gen fòtifyan ladan l

now : kounye a

numb : pa santi anyen, san sansasyon, mò

numbness: pa santi anyen

nurse : enfimyè

nursery : gadri, kote yo gade timoun piti

nutritionist : nitrisyonis

oatmeal : avwàn

obstetrician : obstetrisyen, doktè ki fè akouchman

obstetrics : obstetrics

obstruction : bouche
  obstruction in the bowel : trip bouche.

oil : luil

ointment : pomad

open : louvri, dekachte

operating room : sal operasyon

operations : operasyon

orange juice : ji zoranj, ji doranj

organ : ògàn

orthopaedics : Òtopedi

ovary : ovè, pòch ze, glann ki gen ovil (jèm fi)

oven : fou

ovulation : ovilasyon, lè ze fi deplase al nan matris.

oxygen: oksijèn

oxygenated water : dlo oksijene

pacemaker: pesmekè, aparèy pou fè kè bat nòmal.

pacifier : sison

pain: doulè
  dull pain :doulè ansoudin
  sharp pain : doulè fò, tranchman
  severe pain: doulè grav
  stabbing pain : doulè pike

pain medication : medikaman pou doulè

pain pill : grenn pou kalme doulè

palm of the hand : plamen

palpitation: batman kè byen fò.

pancreas : pankreyas

pant: respire vit, fè efò pou respire, respire anlè anlè

pap smear : tès pou kansè nan kòl matris.

paralysis : paralezi

parasites : parazit, vè.

parent : paran, fanmi

Parkinson's disease : maladi Pakinnson (maladi sèvo ki fè moun tranble, epi rete rèd)

Parts of the body: Pati nan kò moun

pass gas, to feel gassy : rann gaz, santi anpil gaz.

pass out : endispoze

patient : pasyan, malad

pediatrician : pedyat

pediatrics : Pedyatri

pee : pise, fè pipi

pelvic area : zòn basen

pelvis : basen, pèlvis

penicillin : pelisilin

penis : pijon, penis, kòk.

pepper : pwav

perinatal : tan anvan epi apre akouchman

period : règ
    last period : dènye règ

permission : pèmisyon
    permission (authorization) form : fòm pou bay pèmisyon

petroleum jelly : vazlin

phenobarbital : fenobabital

phlebitis: flebit, enflamasyon venn.

physician : doktè
    referral physician : doktè ki bay rekòmandasyon

pill (birth control) : grenn pou pa fè pitit

pill : pilil
    iron pills : fè, fòtifyan

pillow : zòrye

pills : grenn, pilil

pinched nerve : nè kwense

pink : woz

pins : pyès tankou klou pou kole de zo ki kase

pitcher : pot dlo

placenta : plasenta, manman vant

plaster : anplat

platelets: pati nan san ki la pou fè san an kaye.

pneumonia : nemoni

poached egg : ze ole

polio vaccine : vaksen polyo

polyp : polip, chè ki donnen nan kò moun.

position : pozisyon

pound : liv

pour : vide

powder : poud, an poud

pregnancy : gwosès
Are you pregnant now? : Eske ou ansent kounye a?
You are pregnant : ou ansent

pregnant : ansent
Is she pregnant? : Eske li ansent?

premature delivery : akouchmman avan tèm.

premature : prematire, anvan tèm

premie : tibebe ki fèt anvan tèm

prenatal : anvan tibebe a fèt

prepuce (foreskin) : po ki kouvri tèt penis la.

prescription : preskripsyon

pressure : presyon

private doctor : doktè prive

problem : pwoblèm

prostate gland : glann pwostat

prostate : pwostat, yon ògàn ki nan zòn, anba vesi gason

prostatectomy : operasyon pou wete yon pati osnon tout pwostat yon gason.

psychosomatic symtoms : maladi imajinè, sentom sikosomatik, ki pa gen koz fizik.

puberty : peryòd kwasans, lè timoun pral fòme

pubic area : pibis, zòn anwo sèks ki gen pwèl.

pull : rale

pulse : pou, batman kè

pupil : nwaje

purify : pirifye

pus discharge : pi ki ap sòti, pi ki ap koule

push : pouse
don't push : pa pouse

pyelography : tès pou fè radyografi sistèm pise (vesi).

Q-tips : bwa pou netwaye zòrèy, tij [pou netwaye] zòrèy

quinine : kinin

quivering : tranble, gen latranblad

radiation therapy : tretman ak reyon

raise : soulve

rapid heartbeats : batman kè rapid

Rash : gratèl, lota
have a rash : gen gratèl
diaper rash : chofi

reaction : reyaksyon

recovery room : chanm kote ou reprann ou

rectally : nan twou dèyè

rectum : gwo trip toupre twoudèyè

referral : rekòmandasyon, referans pou ou ale yon lòt kote, nan yon lòt klinik

registered : enskri

registration : enskripsyon

relax : lache kò ou, rete kal, repoze ou

relief : soulajman

respiratory : respiratwa

rest : repoze

result : rezilta

rheumatism : rimatis

rib : kòt, zo kòt

right : dwat

right-handed : dwatye

ring worm : pyas

risk factors : rezon ki fè ou an danje

rub : fwote

runny nose : nen ki ap koule, nen larim

safety pin : zepenn kouchèt

saliva : saliv, krache

salt and pepper : sèl ak pwav

salt : sèl

salt water : dlo sale, dlo sèl

sample : echantiyon

sample menu : egzanp lis manje

sample of blood : echantiyon san

sanitary napkin : kotèks, twal lenj

scabies : gal, lagal

scale : balans

Step on the scale : kanpe sou balans la

scalp : potèt

scapula : omoplat

scar : mak, sikatris

sciatic nerve : nè syatik, gwo nè nan zòn janm.

scissors : sizo

scotch tape : tep

scraping : grate, grataj, kitaj

scrotum : sak ki vlope boul grenn gason

seafoods : bèt lanmè

sedative : kalman

seizure : kriz, atak,

semen : dechaj, likid ki melanje ak espèmatozoyid yo.

sensitive : sansib

serious injuries : blesi grav

serum : sewòm

sex : sèks

sexual relations : fè sèks, fè lanmou, antre an relasyon

shake well : sekwe l byen

shaking chills : lafyèv frison, latranblad

shave (woman): retire plim.

Shave (man) : fè la bab

sheet : dra

shirts : chemiz

short of breath : souf kout, difikilte respire

shot : piki, vaksen

shoulder : zèpòl

shower : beny, benyen

sickly : kata

side : kote, sou kote

side effects : reyaksyon

sinus : sinis

sinus congestion : konjesyon sinis, nen bouche

sinus infection : enfeksyon nan sinis

sinusitis : sinizit

skeleton : zo kò, eskelèt

skin : po

skin rash : chofi

skinny : mèg

skull : zo tèt ak zo figi

sleep : dòmi

sleeping pills : grenn pou fè ou dòmi

sleepy : gen anvi dòmi

sling : echap

small : piti

smell : odè, sant

smoke (v) : fimen

snack : kolasyon, pase bouch

snake : koulèv

sneezing : etènye

soak : tranpe

soap : savon

sodium : sodyòm

soft : mou

sole (of the foot) : plapye

somnolence : anvi dòmi

son : pitit gason

sore (a.): kò fè mal, doulè

sore (n.): yon blesi, iritasyon
infected sore : maleng
bed sore : maleng kabann
sore at the corner of the mouth : bòkyè

sore throat : malgòj

spasm : kontraksyon ki bay doulè

specimen : echantiyon

speculum : espekilòm, aparèy ki sèvi pou louvri andedan vajen.

sperm count : konte kantite espèmatozoyid ki nan dechaj

sperm : jèm gason, espèm

spinal cord : epin dòsal, andedan zo rèl do

spinal nerves : nè nan rèldo

spine : zo rèldo

spit : krache

spleen : larat

splint : sipò pou kenbe pati nan kò yon moun anplas

spoonful : kiyè plen

spots : tach, pèt vajinal

spotting : pèt, tikras san ki ap soti nan bouboun detanzantan.

sprain : antòch (n.), foule (v.)

spread your knees : ekate janm ou

sputum : krache rim

squeezing sensation : sansasyon kè sere

stair : eskalye

stand up : kanpe

sternum : estènòm, zo biskèt

stethoscope : estetoskòp, sonn

stiff : rèd, ki pa ka deplase

stillbirth : tibebe ki fèt tou mouri

stitches : kouti, pwen kouti

stomach : lestomak

stools : poupou.
blood in the stool : san nan poupou
stool sample : echantiyon poupou.
mucous stool : poupou ki gen glè.

stress : sou tansyon.

stove : recho, fou

straighten : fè yon bagay rete dwat

straw : chalimo

stretch : detire

strep throat : enfeksyon nan gòj

stretcher : branka, sivyè

stroke : estwok, konjesyon nan sèvo, emoraji nan sèvo.

stroller : chèz pousèt pou tibebe

strong : fò

stuffed up nose : nen bouche

sty : klou nan je

suck : rale, souse ak bouch

suction the tube : rale nan tib la

suffocate : sifoke

sugar : sik
sugar and salt : sik ak sèl
sugar intake : kantite sik yon moun pran

support : sipò

suppository : sipozitwa, medikaman pou mete nan twoudèyè

surgery : chiriji

suture : kouti, koud

swallow : vale

sweat : swe

sweater : chanday

sweats : swe
night sweats : swe nan dòmi

swelling : anfle, anflamasyon, enflamasyon

swelling of feet : pye anfle

swollen : anfle

symptom : sentòm

syncope : endispozisyon

syphilis : sifilis

syringe : sereng

tablespoon : kiyè atab, gwo kiyè

tablet : grenn, pilil

taste : gou

tears : dloje

teaspoon : kiyè te

teeth : dan
dentures : fo dan

teething : fè dan, dantisyon

temperature : lafyèv

temple : tanp

tender : mou

tendons : tandon, pati ki tache miskilati ak zo

test : egzamen

testicle : grenn, testikil

testis : grenn, de boul ki nan sak grenn gason

testosterone : òmòn gason.

tetanos : tetanòs

pertussis : pètusis, koklich

thermometer : tèmomèt

thigh : kuis

thirsty : swaf
    Are you thirsty? : Eske ou swaf?

thorax : kòf lestomak

throat : gòj

thrombosis : twonbwoz, san kaye nan venn.

thumb : dwèt pous

thyroid : glann tiwoyid

tic (twitching) : tik

tick (parasite): tik

tight, tighten : sere

tinea : pyas

tingling : pikotman

tired : fatige
    frequent tiredness : fatige souvan

tissue : tisi

toast : tranch pen griye

toe : zòtèy

toenail : zong pye

toilet : twalèt

tongue : lang
    under the tongue : anba lang

tonsils : amidal

tooth : dan
    dental diseases : maladi nan dan

toothbrush: bwòsadan

towel : sèvyèt

trachea: trache, tib ki ale nan poumon.

tranquilizer : kalman, medikaman pou kalme

transfusion : bay san, pran san
    blood tranfusion : pran san, transfizyon san

treatable : ki ka trete

treatment : tretman

triceps : miskilati ponyèt

tubal ligation : mare tib nan aparèy fè pitit fi a pou li pa fè pitit

tube : tib

tuberculosis : tibèkiloz, pwatrinè , tebe

tumor : timè, anflamasyon
    benign tumor : timè ki pa grav
    malignant tumor : timè ki grav, kansè

turn : vire, tounen

tweezers : ti pens

twin : jimo, marasa

twisted : vire, tòde, tòdye

typhoid fever : lafyèv tifoyid

ulcer : ilsè, blesi

ultrasound : iltrason

umbilical cord : kòd lonbrit

umbilicus, navel : lonbrit

uncircumcised : ki pa sikonsi

underdeveloped : ki pa devlope byen, chetif, piti, rasi

undernourished : malnouri, malmanje

underweight : leje, mèg, ki pa peze ase

unwrap : devlope

ureter : itè, tib ki soti nan ren ki pote pise nan vesi.

urethra : irèt, ti tib ki pote pise osnon dechaj jous nan pwent penis la.

Urethral discharge : ekoulman

urinal : kote pou pise, irinwa

urinalysis : tès pou egzamine pise

urinary bladder : blad pise

urinary catheter : katetè pou pise

urinate : pise, fè pipi

urine : pipi
  urine test : tès pipi

urine catheter : katetè (tib plastik yo mete andedan moun pou fè li pipi).

urogenital: sistèm pise ak sistèm fè pitit.

uterus : iteris, matris

uvula : lalwèt

vaccinate : pran vaksen, bay vaksen

vaccination : vaksinasyon

vaccine : vaksen

vagina : vajen, bouboun
  vaginal discharge : pèt ki soti nan vajen
  water from vagina : dlo ki soti nan vajen

vaginal delivery : akouchman nòmal

varicose veins : venn varis

vaseline : vazlin

vegetables : legim, salad

vein: venn, kannal san fonse

ventricle : vantrikil, pati nan kè.

vertebrate : ki gen zo rèl do, ki gen vètèb
  cervical vertebrae : vètèb nan zòn kou
  thoracic vertebrae : vètèb nan zòn kòflestomak
  lumbar vertebrae : vètèb nan zòn senti, zòn vant
  sacral vertebrae: vètèb nan zòn basen, zòn matris
  coccyx vertebrae : vètèb nan zòn dèyè (kòksis)

vertigo : tèt vire , vètij

virus : viris, mikwòb

vitamin : vitamin

vocal cord : kòd vokal, kòd vwa

vomit : vomi, rejte

vomiting : vomi

waist : senti, tay

walk : mache
walk toward me : mache vin jwenn mwen

walker : machèt, ekipman ki ede moun mache

walking stick : baton pou mache

ward : seksyon
surgical ward : seksyon chiriji

wash : lave

wastebasket pànye fatra

water : dlo
boiled water : dlo bouyi
distilled water : dlo distile
hot water : dlo cho
salt water : dlo sale
break waters : kase lezo

weak : fèb
feel weak : gen feblès, santi ou fèb

weakness : feblès, san kouraj

weaning : sevraj, sevre

weight : pwa, pèz
Have you gained weight? : Eske ou pran pwa?
Have you lost weight? : Eske ou pèdi pwa?

wheelchair : chèzwoulant

white blood cells (leukocytes) : globil blan

whooping cough : koklich

window : fenèt

worm : vè
tape worm : vè solitè

worm medicine : remèd vè

wound : blesi

wrist : pwayè

x-ray : reyon x, radyografi

yeast infection : enfeksyon chanpiyon

zip code : zip kòd, kòd lapòs

Haitian-Creole entries in Alfabetical order

Lis mo Kreyòl yo nan Lòd Alfabetik

abitid, mani : habit

abse : abscess

adrès : address

akne, bouton, difedjennès : acnea

akouche : give birth

akouchman : child birth

akouchman, delivre : delivery
dat yo kalkile ou ap akouche : expected date of delivery

akouchman nòmal : spontaneous delivery

akouchman nòmal : vaginal delivery

akouchmman avan tèm. : premature delivery

aksidan : accident

aksidan, blese, frape : injury

alèji : allergies

alkòl : alcohol
bwè alkòl :drink alcohol

amib, mikwòb : amoeba

amidal : tonsils

an sante : healthy

anatomi : anatomy

anbabra, anba zèsèl : armpit

anch, tay, senti, ren : hip

andòmi : anesthetize

anestezi : anesthesia

anestezi epidiral, piki anestezi nan zòn **basen pou ede akouchman** : epidural injection

anestezi nan do pou doulè akouchman : epidural anesthesia

anfetamin : amphetamine

anflamasyon ki ap ogmante, ki vin pi gwo : increased swelling

anflamasyon tete akòz enfeksyon : mastitis

anfle, anflamasyon, enflamasyon : swelling

anfle : swollen

anplat, aparèy : cast

anrichi, ki gen vitamin anplis : enriched

anrimen, nen ki ap fè larim : dripping nose

ansent : pregnant
Eske li ansent? : Is she pregnant?

anti-asid : antacid

anti-istaminik : antihistaminic

antibyotik : antibiotic

antòch (n.), foule (v.) : sprain

anvan : before

anvan egzèsis : before exercise

anvan tibebe a fèt : prenatal

anvanbra, (pati bra ant men ak koud) : forearm

anvi : birthmark

anvi dòmi : somnolence

aparèy òtopedik, anplat : brace

apendis : appendix

apendisit, anflamasyon apendis : appendicitis

apeti : appetite
 pa gen apeti, apeti koupe. : loss of appetite

apre akouchman : after birth

areyòl (Sèk ki alantou pwent tete a) : areola

asid askòbik, vitamin C (se) : ascorbic acid

asid : acid

aspirin : aspirin

atè, kannal san wouj : artery

atrapan, kontajye : contagious

avòtman : abortion

avwàn : oatmeal

ba ou sakad : crampy

bakteri : bacteria

balans : scale
 Kanpe sou balans la : Step on the scale

basen, basinèt : bathtub

basen, pèlvis : pelvis

bat, frape, batman : beating

batistè : birth certificate

batman kè : heartbeat
 batman ki pa regilye : skipped heartbeats
 batman kè byen fò. : palpitation
 batman kè ki fò : heart pounding or racing
 batman kè rapid : rapid heartbeats

baton : cane

baton pou mache : walking stick

bave : drool

bay san, pran san : transfusion
 pran san, transfizyon san : blood tranfusion

bay tete : breast-feed

bay tibebe tete : lactation

bebe, tibebe : baby
tibebe ki fèt sou nèf mwa : term baby

beki, baton : cane

beki : crutch

beny, benyen : shower

bèso : crib

bèt lanmè : seafood

bezwen : need

bibit, bisèp : biceps

bibon, bibwon : baby bottle

bibwon : bottle

bifèt pou mete medikaman : medicine cabinet

bil : bile

blad bil, sak bil, vezikil bilyè : gallbladder

blad pipi, vesi. : bladder

blad pise : urinary bladder

blad, zanpoud : blister

blèm anpil : marked pallor

blese, fè mal : hurt
Li pap fè ou mal. : It will not hurt
Di mwen si sa a fè ou mal : Tell me if this hurts

blese, frape : injure

blesi grav : serious injury

blesi, maleng : lesion

blesi : wound

blokaj : blockage

bòkyè : sore at the corner of the mouth

bouch : mouth
pa bouch : by mouth
louvri bouch ou : open your mouth

bouche : obstruction
trip bouche. : obstruction in the bowel

bouje : move
Tanpri, pa bouje : Please don't move

boul koton wat : cotton balls

boul : lump

boul nan sen : lump in the breast

boul san kaye, kayo san : clot

bouton, enflamasyon sou po : eruption

bouyi : boil (v.)

bouyon san ma : bouillon

bra : arm

branka, sivyè : stretcher

bri nan kè : heart murmur

brile : burn

brili, boule, brile : burning

brili lestomak, dlo si sou lestomak, lestomak **brile** : heart burn

bwa pou netwaye zòrèy : q-tips

bwason : drink (n.)

bwat ijans (bwat ki gen tout sa ki nesesè oka **ijans)** : emergency kit

bwè : drink

bwete : limp (v.)

bwonch : bronchus

bwonchit, enfeksyon nan bwonch : bronchitis

bwòsadan : toothbrush

chak de jou : every other day

chalimo : straw

chanday : sweater

chanm : room, bedroom
    chanm kote ou reprann ou : recovery room

chè, vyann : flesh

chemiz : shirts

cheve : hair (head)

chevi, jepye : ankle

chèz : chair

chèz pousèt pou tibebe : stroller

chèz woulant : wheel chair

chimerik, rechiya : cranky, irritable

chiriji : surgery

cho : hot

chofi : diaper rash

chofi : skin rash

chòk nan sèvo : brain injuries

dan dèyè : molar

dan : teeth
    fo dan : dentures

dan : tooth
    maladi nan dan : dental disease

dat akouchman : due date

dechaj, likid ki melanje ak espèmatozoyid **yo** : semen

deleye : dissolve

demanjezon : itching sensation

dèmatoloji : dermatology

deprime : depressed

desè : dessert

detire : strech

devlope : unwrap

dèyè, fès : buttocks

dèyè timoun nan parèt anvan : breech

dezenfektan : desinfectant

di : hard

dife : fire

difteri : diphtheria

dijere mal, gonfle, move dijesyon. : indigestion

dilye, melanje, deleye : dilute

diskite : discuss

dlo bouyi : boiled water

dlo cho : hot water

dlo distile : distilled water

dlo oksijene : oxygenated water

dlo sale, dlo sèl : salt water

dlo : water
  kase lezo : break waters
  dlo bouyi : boiled water

dloje : tears

do , dèyè do : back
  bout anba do-a : lower back

doktè : doctor

doktè : physician
  doktè ki bay rekòmandasyon : referring physician

doktè prive : private doctor

dòmi : sleep
  lè dòmi : bedtime
  anvan ou al dòmi : before bedtime

doulè : ache

doulè ansoudin : dull pain

doulè fò, tranchman : sharp pain

doulè grav : severe pain

doulè, kranp : cramps

doulè lè ou ap pipi : burning on urination

doulè nan do sou anba : lower back pain

doulè nan do, maldo : backache

doulè nan kè : angina

doulè nan vant : belly pain
doulè nan vant, vant fè mal : cramp (abdominal)

doulè : pain

doulè pike : stabbing pain

doulè tranche : cramping

dòz, kantite : dosage, dose

dra : sheet

dwat : right

dwatye : right-handed

dwèt : finger

lendèks, dwèt bouwo : index finger
ti dwèt, orikilè : little finger
dwèt mitan, dwèt lemajè, gwo dwèt : middle finger
dwèt bag, lànilè : ring finger
dwèt pous : thumb

dwèt pous : thumb

dyabèt : diabetes

dyafram : diaphragm

dyaliz (teknik ki pèmèt netwaye san yon **moun ki pa gen bon ren)** : dialysis

dyare : diarrhea

dyèt ki balase (ki gen tout kalite manje ladan **l)** : balanced diet

dyèt, rejim : diet
dyèt ki gen anpil kalori. : high calorie diet
dyèt ki gen anpil pwoteyin : protein diet
manje regilyèman, dyèt nòmal : regular diet
dyèt mòl. : soft diet
dyèt likid : liquid diet

dyetetisyen : dietitian

è, èdtan : hour
demiyèdtan apre manje : one-half (1/2) hour after meals
demiyèdtan anvan manje : one-half (1/2) hour before meals

echantiyon : sample

echantiyon san : sample of blood

echantiyon : specimen

echap : sling

egzamen pou enspekte andedan jwenti : arthroscopy

egzamen pou gade vajen ak kòl matris : colposcopy

egzamen pou gade andedan blad pise (vesi) : cystoscopy

egzamen pou gade andedan kò moun, **andoskopi.** : endoscopy

egzamen pou wè sa ki andedan zo. : bone scan

egzamen pou wè andedan gwo trip la : colonoscopy

egzamen : test

egzanp lis manje : sample menu

ekate janm ou : spread your knees

ekgzema : eczema

ekilib : balans

ekipman ki ede moun mache : walker

ekoulman : urethral discharge

eksite, ajite : agitated

egzema : eczema

elektwokadyogram (teknik pou wè kijan kè **a ap mache).** : electrocardiogram

emoraji, pèdi san, seyen : hemorrhage

emowoyid : hemorrhoids

endijesyon, gonfleman. : indigestion

endispoze : faint

endispoze : pass out

endispoze, pèdi konesans : fainting spells

endispozisyon : fainting

endispozisyon : syncope

enfeksyon chanpiyon : yeast infection

enfeksyon : infection

enfeksyon ki lakòz po moun fè glòb. : herpes

enfeksyon nan gòj : strep throat

enfeksyon nan sinis : sinus infection

enfeksyon nan zòrèy : ear infection

enfekte : infected

enfimyè : nurse

enfizèm, anflamasyon nan poumon : emphysema

enflamasyon : inflammation

enflamasyon sèvo : encephalitis

èni nan plak zo rèldo a : herniated disk

enpuisans, pa ka bande, pa gen bann, lè **pijon an pa ka kanpe.** : impotence

enskri : registered

enskripsyon : registration

entène, rantre lopital : hospitalisation

entesten, trip : intestines
- **ti trip** : small intestines
- **gwo trip** : large intestines

epatit, lajonis : hepatitis

epidemi, lè anpil moun gen menm maladi : epidemic

epin dòsal, andedan zo rèl do : spinal cord

ereksyon, bann, lè pijon gason kanpe. : erection

eskalye : stair

esklewoz anplak, yon maladi sistèm nève **santral** : mutiple sclerosis

espekilòm, aparèy ki sèvi pou louvri **andedan vajen.** : speculum

estènòm, zo biskèt : sternum

esterilè : IUD

estetoskòp, sonn : stethoscope

estwok, konjesyon nan sèvo, emoraji nan **sèvo.** : stroke

eta sivil : marital status

etènye : sneezing

ezofaj, gòjèt, tib kote manje pase pou li ale **nan lestomak.** : esophagus

fanmi : family

fatig, kò kraz : fatigue

fatige souvan : frequent tiredness

fatige : tired

fè dan, dantisyon : teething

fè, grenn fòtifyan : iron pills

fè : iron

fè la bab : Shave (man)

fè poupou, ale nan watè : bowel movement

fè sèks, fè lanmou, antre an relasyon : sexual relations

fè sèks : intercourse

fè tibebe rann gaz : burp (a baby)

fè yon bagay rete dwat : straighten

fèb : weak
  gen feblès, santi ou fèb : feel weak

feblès, san kouraj : weakness

fenèt : window

fenobabital : phenobarbital

fetis, tibebe nan vant anvan twa mwa **gwosès** : fetus

fibwòm : fibroids

figi : face

fimen : smoke (v)

flebit, enflamasyon venn. : phlebitis

flèm, glè : mucus (phlegm)

fo dan, ratelye : dentures
  Do you use dentures? Èske ou gen fo dan?

fò : strong

fonn nan, deleye nan : dissolve in

fontenn tèt, fontanèl : fontanelle

fòsèp : forceps

foskouch, avòtman envolontè : miscarriage

fou : oven

fouk : crotch

foure, rantre : insert

frakti, zo kase : fracture

fredi, anrimen : cold (n.)

frèt : cold
  Eske ou frèt? : Are you cold?
  Ou ap santi li frèt : It's going to be cold

frison : chills

fwa : liver

fwon : forehead

fwote : rub

gadri, kote yo gade timoun piti : nursery

gagari : gargle

gal, lagal : scabies

gan : glove

gangrenn : gangrene

gaz : gas

rann gaz : pass gas

Eske ou genyen gaz kenbe ou? : Do you get gas pains?

Eske ou rann anpil gaz? : Do you burp a lot?

gen anpil gaz : gassy

gen anvi dòmi : sleepy

gen kè plen : nauseated

gen tèt vire : dizzy

Genyen jèm HIV a nan kò ou : HIV positive

geri : cured

geri : heal

glann, boul : glands

glann pwostat : prostate gland

glann sirenal : adrenal glands

glann tiwoyid : thyroid

glas : ice

glas zye : cornea

glè : mucous

glikoz, sik : glucose

globil blan : white blood cells (leukocytes)

goch : left

goche : left-handed

gòj : throat

gòjèt ap senyen, emoraje lezofaj : esophageal bleed

gonfle, anfle, plen : bloated

gonore, ekoulman, chodpis, grann chalè : gonorrhea

gou : taste

gout : drops (n.)

gout pou je : eye drops

grafouyen : bruise

grangou : hungry

Eske ou grangou? : Are you hungry?

grate, grataj, kitaj : scraping

gratèl, lota : rash

gen gratèl : have a rash

chofi : rash, diaper rash

gratèl, pikotman : itch

grèf zo, mete pou yon moun zo ki pa te pou **li.** : bone transplant

grenn, de boul ki nan sak grenn gason : testis

grenn, pilil : pills

grenn, pilil : tablet

grenn pou fè ou dòmi : sleeping pills

grenn pou kalme doulè : pain pills

grenn pou kontwole apeti : diet pills

grenn pou pa fè pitit : pill (birth control)

grenn pou pa fè pitit : birth control pill

grenn, testikil : testicle

grip : influenza

grip sezon ki mache ak rim epi ak lafyèv : flu

gwat : goiter

gwo fatig : exhaustion

gwo, gra , grès : fat

gwo kannal san wouj : aorta

gwo lafyèv. : high fever

gwosès ektopik, (ki pa chita nan matris) : ectopic pregnancy

gwosès : pregnancy
Eske ou ansent kounye a? : Are you pregnant now?
Ou ansent : You are pregnant

gwotrip toupre twoudèyè : rectum

gwoup san, gwoup sangen : blood type

idantifikasyon : identification

ijans : emergency

ilsè, blesi : ulcer

iltrason : ultrasound

ipotalamis (pati sistèm nève ki anndan tèt la) : hypothalamus

irèt, ti tib ki pote pise osnon dechaj jous nan **pwent penis** : urethra la.

itè, tib ki soti nan ren ki pote pise nan vesi. : ureter

iteris, matris : uterus

janm : leg

jansiv : gum

je vewon : cross-eyed

jelo : jello

jelo san anyen ladan li : plain jello

jèm gason, espèm : sperm

jèm, mikwòb : germ

jenou : knee

ji bouyon : broth

ji bouyon san ma : clear broth

ji : juice
ji klè, san ma : clear juice

ji zoranj, ji doranj : orange juice

jimo, marasa : twin

jinekològ, doktè ki pran swen pati sèks fi: gynecologist

jinekoloji : gynecology

jou : day

jwen, jwenti : joints

jwenti dwèt yo : knuckle

kabann : bed

kabicha, dòmi lajounen : nap

kad : gurney

kadyoloji : cardiology

kafe : coffee
kafe san lèt : black coffee

kal, trankil, rete dousman : calm
Tanpri, rete kal : Please remain calm

kalamin : calamine

kalman, medikaman pou kalme : tranquilizer

kalman : sedative

kalori, enèji ki nan manje : calories

kalsyòm : calcium

kanbri : instep

kannal sikilasyon san (venn ak atè) : blood vessel

kannannan : idiotic

kanpe : stand up

kansè : cancer

kansè poumon : lung cancer

kap nan cheve : dandruff

kapòt, kondon, prezèvatif : condom

kapsil, grenn : capsule

kata : sickly

katarat : cataract

katetè (tib plastik yo mete andedan moun **pou fè li pipi).** : urine catheter

katetè pou pise : urinary catheter

katilaj, tisi fèm men elastik, ki sèvi pou **tache zo yo** : cartilage

kè : heart

kè plen, anvi vomi. : nausea

kenbe : hold

ki ka trete : treatable

ki pa devlope byen, chetif, piti, rasi : underdeveloped

ki pa gen kouraj, kò lage : lethargy

ki pa sikonsi : uncircumcised

kim (ki fèt pou moun pa fè pitit) : contraceptive foam

kim : foam

kinin : quinine

kis, boul : cyst

kitaj : curettage

kiyè atab, gwo kiyè : tablespoon

kiyè plen : spoonful

kiyè te : teaspoon

klamidya (mikwòb ki ka bay maladi sèks ak **lòt maladi tou)** : chlamidia

klinik : clinic

klou nan je : sty

kò : body

kò : corn

kò fè mal, doulè : sore (a.)

kò kraze, san kouray : lethargic

kòche, grafouyen : abrasion

kòd : cord

kòd lonbrit : umbilical cord

kòd vokal, kòd vwa : vocal cord

kodeyin : codeine

kòf lestomak, pwatrin, pwatray : chest

kòf lestomak : thorax

kokayin : cocaine

koklich : whooping cough

kòksis, zo koupyon : coccyx

kòl matris, antre matris : cervix

kolasyon anvan ou ale dòmi : bedtime snack

kolasyon, pase bouch : snack

kolerin, dyare : dysentery

kolestewòl, (grès ki kab bouche kannal san). : cholesterol

kolik, vant fè mal : colic

kolòn vètebral, zo rèldo, zo chini-do : backbone

kolostwòm (premye lèt ki soti nan tete **manman an)** : colostrum

koma : coma

Konbyen fwa? : How often?

kondi oto : drive
pa kondi oto : do not drive
Ou pa dwe kondui oto. : You should not drive.

konesans : consciousness
pèdi konesans : lose consciousness
revni, reprann konesans : regain consciousness

konfòtab, alèz : comfortable

konjesyon sinis, nen bouche : sinus congestion

konkonm, san ki chita yon kote ki gen yon **blesi pa andedan.** : hematoma

konngout : dropper

konplikasyon : complications

konprès : compress

konsiltasyon : examination

konsilte : examine

konstipasyon : constipation

konstipe : constipated

Eske ou konstipe? : Are you constipated?

konte kantite espèmatozoyid ki nan dechaj : sperm count

kontraksyon ki bay doulè : spasm

kòt, zo kòt : rib

kote pou pise, irinwa : urinal

kote, sou kote : side

kotèks, twal lenj : sanitary napkin

kòtizòn : cortisone

koton : cotton

kou : neck

koub : arch

kouchèt, panmpèz : diapers

koud : elbow

koulè : color

koulèv : snake

kounye a : now

koupe ak sizo : incision

koupe yon manm (janm, pye osinon bra) : amputation

kout pye : kicks

kouti, koud : suture

kouti, pwen kouti : stitches

kouvez (kote yo mete tibebe ki fèt anvan lè) : incubator

krache rim : sputum

krache : spit

kranp, doulè nan miskilati : cramp (muscular)

krèk, langèt : clitoris

krèm desitin : desitin

krèm lèt : cream (food)

krèm pou po : cream (skin)

krèm prezèvatif, (ki fèt pou moun pa fè **pitit).** : contraceptive cream

kriye, rele : cry

kriz, atak, : seizure

kriz kadyak : heart attack

kriz, kriz tonbe, kriz malkadi : convulsions

Kriz kè, enfaktis miskilati kè. : miocardial infarction

kuis : thigh

kwachòkò : kwashiorkor

labouyi, sereyal kuit : cooked cereal

lache kò ou, rete kal, repoze ou : relax

lafyèv ak frison : chills and fever

lafyèv : fever
  yon ti lafyèv ki pa twò fò : a slight fever
  lafyèv cho : a high fever

lafyèv frison, latranblad : shaking chills

lafyèv : temperature

lafyèv tifoyid : typhoid fever

lagal : scabies

lage souf : exhale

laj : age
  Ki laj ou? : How old are you?

lajonis, lè bil fè je ak po moun vin jòn. : jaundice

lakranp : cramp

lalwèt : uvula

lang : tongue
  anba lang : under the tongue

lanmò : death
  kisa ki lakòz lanmò a : cause of death

lantiy konta, linèt kontak : contact lenses

lantiy : lenses

larat : spleen

larim, glè ki soti nan nen : mucus (nasal)

lavaj vajen, douch vajen : douche

lave : wash

lavman : enema
  lavman ak baryòm, lavman barite : barium enema

lawoujòl : measles

lè timoun fèt, nesans : birth

legim, salad : vegetables

leje, mèg, ki pa peze ase : underweight

lenn : blanket

lenn : groin

lestomak brile : heartburn

lestomak : stomach

lèt bwat pou tibebe : formula for babies

lèt manman : mother's milk
angòje, twòp lèt nan tete manman an : engorged

lèt : milk
lèt san grès : nonfat milk
8 ons lèt : 8 ounces of milk
poud pou ranplase lèt : non-dairy creamer
lèt an poud : powdered milk

lèt nan bwat pou tibebe : formula

lètmayezi : milk of magnesia

leve : get up

ligaman (tisi elastik ki kenbe zo ak mis) : ligament

likid : liquid

linèt : eye glasses

lis manje : menu

liv : pound

lonbrit : umbilicus, navel

lopital : hospital

losyon, krèm : lotion

lòt randevou apre randevou jodi a : follow-up

lou : heavy
santi ou lou : heaviness sensation

louvri, dekachte : open

luil bebe : baby oil

luil derisen : castor oil

luil fwadmori : cod liver oil

luil mineral : mineral oil

luil : oil

mache : walk
mache vin jwenn mwen : walk toward me

machèt, ekipman ki ede moun mache : walker

machwa : jaw

mak, sikatris : scar

maklouklou : Hydrocele

maladi atrapan : communicable disease

maladi atrapan : infectious diseases

maladi : disease, illness

maladi imajinè, sentom sikosomatik, ki pa **gen koz fizik.** : psychosomatic symtoms

maladi kè : heart disease

maladi mantal : mental disorder

maladi nan san : blood disease

maladi nè, twoub mantal : nervous disorder

maladi Pakinnson (maladi sèvo ki fè moun **twanble, epi rete rèd)** : Parkinson's disease

maladi po anfle : dermatitis

malalèz, doulè ki pa twò fò : discomfort

malarya, palidis : malaria

maleng : infected sore

maleng kabann : bed sore

malgòj : sore throat

malkadi, maladi tonbe, kriz malkadi, maladi **kimen** : epilepsy

malmakak : hangover

malmouton : mumps

malnouri, malmanje : undernourished

maltèt : headache

maltèt ki dire lontan : persistent headache

maltèt ki nan yon bò tèt la sèlman : migraine

malzòrèy, doulè nan zòrèy : earache

manje : eat

manje : food

manje ki genyen lèt : dairy products

manje likid : liquid food

manje solid : solid food

manje nan bibwon. : bottle feed

manm : limb

manman : mother

mantal : mental

mantèg ak grès : lard and fat

manton : chin

marasa, jimo : twin

mare tib nan aparèy fè pitit fi a pou li pa fè **pitit** : tubal ligation

masaj : massage

maten : morning

lematen : in the morning

materyèl medikal : medical supplies

mayas, pye atlèt : athlete's feet

medikaman : drug

medikaman likid : liquid medicine

medikaman : medication

medikaman ou dwe pran : required medications

Eske li ap pran medikaman? : Is he/she taking any medications?

Ki kalite : What kind?

Pou maladi kè? : For the heart?

Pou maladi poumon? : For the lung?

Ensilin? : Insulin?

medikaman pou doulè : pain medication

medsin fèy : folk medecine

mèg : skinny

mekomyòm (premye poupou ki soti nan vant **tibebe ki fèk fèt)** : meconium

men : hand
plamen : palm of the hand

menenj, tisi ki vlope sèvo a : meninges

menenjit (enflamasyon tisi ki vlope sèvo) : meningitis

menopoz, lè règ fi rete. : menopause

mete : apply

mezire : measure

mezi alantou tèt : head perimeter

mikwòb, chanpiyon. : fungus

mikwoskòp : microscope

mis, miskilati : muscle

miskilati ponyèt : triceps

mòfin : morphine

mòlèt : calf

mou : soft, tender

moulen : chew

moulen, mastike : chewing

mouri : dead

move dijesyon, pwoblèm pou dijere : digestion trouble

movesan : emotional upsets

mwèl ki andedan zo : marrow

nan twou dèyè : rectally

nan venn, entravenez : I.V.

nè kwense : pinched nerve

nè nan rèldo : spinal nerves

nè : nerve

nè syatik, gwo nè nan zòn janm. : sciatic nerve

nemoni : pneumonia

nen bouche, konjesyon nazal : nasal congestion, stuffed up nose

nen ki ap koule, nen larim : runny nose

nen : nose

nen senyen : nosebleed

newoloji : neurology

nitrisyonis : nutritionist

non : name
siyati : last name
tinon : first name

nourisan, ki gen fòtifyan ladan l : nourishing

nuit : night

nwaje : pupil (of the eye)

nwaye, neye : drown

obstetrik : Obstetrics

obstetrisyen, doktè ki fè akouchman : obstetrician

odè : smell

ògàn : organ

oksijèn : oxygen

òmòn : hormone

omoplat : scapula

operasyon : operations

opresyon : asthma

oreyèt, (pati nan kè). : auricle

òtopedi : orthopaedics

otorizasyon : authorization

ovè, pòch ze, glann ki gen ovil (jèm fi) : ovary

ovilasyon, lè ze fi deplase al nan matris. : ovulation

pa ka dòmi, gen difikilte dòmi : insomnia

pankreyas : pancreas

pansman, bandaj : bandage
twal gaz : dressing

paralezi : paralysis

paralezi sèvo : cerebral palsy

paran, fanmi : parent

parazit, vè. : parasite

pasyan, malad : patient

pati nan san ki la pou fè san an kaye. : platelets

pati sèks, pati jenital : genitals

pati nan kò moun : parts of the body

pè, gen laperèz, kaponnen : afraid

pèdi ekilib. : loss of balance

pedyat : pediatrician

pedyatri : pediatrics

pelisilin : penicillin

pèmisyon : permission
fòm pou bay pèmisyon : permission (consent) form

pen : bread
pen ble antye : whole wheat bread
pen blan : white bread

peryòd tibebe a fè nan vant manman l : gestation

pèse zòrèy : ear piercing

pesmekè, machin pou fè kè bat nòmal. : pacemaker

pèt, tikras san ki ap soti nan bouboun **detanzantan.** : spotting

pètusis, koklich : pertussis

pi ki ap sòti, pi ki ap koule : pus discharge

pi osnon dlo ki ap soti nan zòrèy : ear discharge

pibis, zòn anwo sèks, ki gen pwèl. : pubic area

pigatif, medsin, pij : laxative

pijon, penis, kòk. : penis

piki : injection (shot)

pikotman : tingling

pilil, grenn pou pa fè pitit. : contraceptive

pilil : pill

pipi, fè pipi : urinate

pipi : urine
  tès pipi : urine test

pirifye : purify

pisannit : bedwetter

pise, fè pipi : urinate

piti : small

pitit fi : daugther

pitit gason : son

plak zo do : disk

plamen : palm

planche : floor

planin, kontwole kantite timoun moun ap fè : family planning

plannin, kontwòl sou kantite pitit ou vle fè. : birth control

plapye : sole (of the foot)

plasanta, manman vant : placenta

plen, vant plen : full

plenn : moan

plent : complaint

plenyen : complain

plimje : eyelash

po : skin

po bouch : lips

po figi : facial skin

po ki kouvri tèt penis la. : prepuce (foreskin)

po sèch : dry skin

polip, chè ki donnen nan kò moun. : polyp

pomad : ointment

ponmèt : cheek

ponp pou retire lèt nan tete. : breast pump

popyè, poje : eyelid

pot dlo : pitcher

potèt : scalp

pou, batman kè : pulse

pou : lice

poud, an poud : powder

poumon : lungs

poupou. : stools
    san nan poupou : blood in the stool
    echantiyon poupou. : stool sample
    poupou ki gen glè. : mucous stool

pouse : push
    pa pouse : don't push

pozisyon : position

pran san : blood transfusion

pran souf, respire : inhale

pran vaksen, bay vaksen : vaccinate

prematire, anvan tèm : premature

premye swen : first aid

preskripsyon : prescription

presyon : pressure

priz san : blood sample

pwa, pèz : weight
    Eske ou pran pwa? : Have you gained weight?
    Eske ou pèdi pwa? : Have you lost weight?

pwa sèk ak pwa vèt : legumes

pwal, plim : hair (of the body)
    plim, pwèl, pwal : hair (pubic)

pwav : pepper

pwayè : wrist

pwen : fist

pwent dwèt : fingertip

pwent tete : nipples
    wonn tete : aureola of nipples

pwoblèm : problem

pwoblèm dan : dental problems

pwoblèm kè, maladi kè : heart condition

pwoblèm memwa, pa kapab sonje, maladi **pèt memwa** : memory disorder

pwoblèm nan ren : kidney trouble

pwoblèm poumon : lung problem

pwostat, yon ògàn ki nan zòn, anba vesi **gason** : prostate

pibète, peryòd kwasans, lè timoun pral fòme : puberty

pyas : ring worm, tinea

pye anfle : swelling of feet

pye : foot

pyè nan ren : kidney stones

rad : clothes

rale nan tib la : suction the tube

rale : pull

souse ak bouch : suck

rale, tire : traction

randevou : appointment

rann gaz : burp (v.)
santi anpil gaz. : to feel gassy

recho. fou : stove

rèd, ki pa ka deplase : stiff

règ chak mwa : menstrual period

règ : period
dènye règ : last period

rekòmandasyon, referans pou ou ale yon lòt **kote, nan yon lòt klinik** : referral

remèd, medikaman : medicine

remèd vè : worm medicine

ren : kidney

repa, lè manje : meals

repoze : rest

resisitasyon kè yon moun ki rete, fè kè a **retounen bat ankò.** : CPR

respirasyon : breathing

respiratwa : respiratory

respire : breathe
respire nòmalman : breathe normally

respire fò : deep breath
pèdi souf, souf koupe : out of breath
souf kout : shortness of breath
kenbe souf : hold breath
lage souf : exhale
pran souf, respire : inhale

respire trè fò : deep breath

respire vit, respire anlè anlè : pant

retade : mental retardation

retire pli. : shave (woman)

retounen ankò : come back

reyaksyon : reaction, side effects

reyon x, radyografi : X-Ray

rezilta : result

rezon ki fè ou an danje : risk factors

rido : curtains

rim pwatrin : chest cold

rimatis : rheumatism

ris la wo, an danje : high risk

sak ki vlope boul grenn gason : scrotum

sal operasyon : operating room

saliv, krache : saliva

san : blood

san kouraj, kò lage, kò kraz : lethargic

sansasyon kè sere : squeezing sensation

sansib : sensitive

sante : health

sante mantal : mental health

santi chalè ap monte nan kò : hot flashes

santi : feel, smell

santi presyon nan kòflestomak : chest oppression

santiman : feeling
Kouman ou santi kò ou? : How do you feel?

savon : soap

seche : dry (v.)

Sekou! Anmwe sekou! : Help!

sèks : sex

seksyon chiriji : surgical ward

seksyon : ward

sekwe l byen : shake well

sèl ak pwav : salt and pepper

sèl : salt

sèldepsonn : Epsom salt

senti : lower back

senti, tay : waist

sentòm : symptom

senyen, an san, beyen an san : bloody
emoraji : bleeding

sere : tight, tighten

serebelòm, ti sèvo, sèvelè : cerebellum

serebwòm, sèvo : cerebrum

sereng : syringe

sereyal antye tankou diri, mayi, pitimi : whole grains

sèvo : brain

sevraj, sevre : weaning

sèvyèt deben : bath towel

sèvyèt : towel

sewòm : IV

sewòm : serum

sezaryèn : cesarean section

SIDA : AIDS

sifilis : syphilis

sifoke : suffocate

sifoke, toufe : gasping

sik nan san ki twò ba, ipoglisemya : hypoglycemia

sik nan san ki twò wo, ipèglisemya : hyperglycemia

sik : sugar

sik ak sèl : sugar and salt

kantite sik yon moun pran : sugar intake

sikilasyon san : blood circulation

sikonsizyon, koupe ti po ki kouvri tèt pijon **tigason** : circumcision

sinis : sinus

sinizit : sinusitis

sipò pou kenbe pati nan kò yon moun anplas : splint

sipò : support

sipozitwa, medikaman pou mete nan **twoudèyè** : suppository

sirèt pou tous : cough drops

sison : pacifier

sistèm nève santral : central nervous system

sistèm pise ak sistèm fè pitit. : urogenital

sistèm dijestif : digestive system

sistèm pou gason fè pitit : male reproductive system

siwo pou tous : cough syrup

siwoz : cirrhosis

sizo : scissors

skòch tep, tep : scotch tape

sodyòm : sodium

sonn, katetè : catheter

sou : drunk

sou tansyon. : stress

souf kout, difikilte pou respire : short of breath

souf, respirasyon : breath

soulajman : relief

soulve : raise

sousi : eyebrow

swaf : thirsty

Eske ou swaf? : Are you thirsty?

swe : sweat

swe nan dòmi : night sweats

swen : care

swenyay, bon swen : good care

pran swen, okipe : take care of

swen, tretman : cure

tach, pèt vajinal : spots

talon : heel

tan anvan epi apre akouchman : perinatal

tandon, pati ki tache miskilati ak zo : tendon

tanp : temple

tansyon, presyon san : blood pressure

tansyon wo : high blood pressure

tay zong : nail cutter

tèmomèt : thermometer

tenpan, tande zòrèy : ear drum

tep, adezif : adhesive tape

tès, analiz : test, analysis

tès pou egzamine pise : urinalysis

tès pou fè radyografi sistèm pise (vesi). : pyelography

tès pou kansè nan kòl matris. : pap smear

tès san : blood test

testostewòn, òmòn gason. : testosterone

tèt : head

tèt vire, anvi endispoze, toudisman : dizziness

tèt vire , vètij : vertigo

tetanòs : tetanos

tete, sen : breast

tetin : nipple (bottle)

tib fleksib ki sèvi pou kondi pise depi nan **vesi (blad pise) pou soti deyò** : foley catheter

tib lezofaj (pou met manje dirèkteman nan **lestomak)** : GI tube

tib pou ejakile : ejaculatory duct

tib : tube

tibebe, anvan ennan : infant

tibebe : baby

tibebe ki fèt tou mouri : stillbirth

tibebe ki fèt anvan tèm : premie

tibèkiloz, pwatrinè , tebe : tuberculosis

tik : tic (twitching)

tik : tick (parasite)

timè, anflamasyon, kansè : tumor
- **timè ki pa grav** : benign tumor
- **timè ki grav** : malignant tumor

tisi : tissue

toufe : choking

toufe, mal pou respire, trangle. : choke

toufe, trangle : choke

tous (n), touse (v) : cough
- **Touse ak tout fòs ou** : Cough strongly
- **Touse, tanpri** : Cough please
- **Touse ankò** : Cough again

koklich : whooping cough

tous : cough (n.)

tous ki mache ak flèm : cough phlegm

touse san : cough blood

toutouni : naked

trache, tib ki ale nan poumon. : trachea

tranble, gen latranblad : quivering

tranch pen griye : toast

tranche : contraction

tranche : labor (childbirth)

tranpe : soak

tretman ak reyon : radiation therapy

tretman : treatment

trip : bowel

twal gaz : gauze

twalèt : toilet

twonbwoz, san kaye nan venn. : thrombosis

twonp falòp : fallopian tube

twou nen : nostrils

twoudèyè : anus

tyèd : lukewarm

tyeke, ekzaminen : check

vajen, bouboun : vagina
    pèt ki soti nan vajen : vaginal discharge

vaksen polyo : polio vaccine

vaksen : vaccine

vaksinasyon : vaccination

vale : swallow

vant : abdomen
    doulè anba tivant : lower abdominal pain

vant : belly

vant fè mal, doulè nan vant : abdominal pain

vantrikil, pati nan kè. : ventricle

vav kè : heart valve

vav kè ki kontwole pasaj san. : heart valve

vaz, potchanm : bedpan
    Eske ou bezwen yon vaz? : Do you need a bedpan?

vazlin : petroleum jelly, vaseline

vè kontak : contact lens

vè : worms
    vè solitè : tape worm

venn, kannal san fonse : vein

venn varis : varicose veins

vètèb nan zòn dèyè (kòksis) : coccyx vertebrae

vètèb nan zòn basen, zòn matris : sacral vertebrae

vètèb nan zòn senti, zòn vant : lumbar vertebrae

vètèb nan zòn kòflestomak : thoracic vertebrae

vètèb nan zòn kou : cervical vertebrae

vètebre, ki gen vètèb : vertebrate

vide : pour

vini : come

vire, tòde, tòdye : twisted

vire, tounen : turn

viris, mikwòb : virus

viris SIDA : AIDS virus

viris SIDA : H.I.V.

vitamin : vitamin

lave : wash

vivan, anvi : alive

vomi, rejte : vomit

voye dechaj : ejaculation

vyann : meat

wastebasket : panye fatra

wè doub : double vision

wè twoub : blurred vision

wotè : height

woz : pink

yòd : iodine

yon sansasyon kouran elektrik pase : electrical feeling

ze : egg

ze ole : poached egg

zegui : needle

zepenn kouchèt : safety pin

zèpòl : shoulder

zip kòd, kòd lapòs : zip code

zo : bone

zo jenou, kakòn jenou : kneecap

zo kò, eskelèt : skeleton

zo kòt : ribs

zo rèldo : spine

zo salyè : collar bone

zo tèt ak zo figi : skull

zòn basen : pelvic area

zong : nail
- **zong dwèt** : fingernails
- **zong pye** : toenail

zòrèy : ear

zòrye : pillow

zòtèy : toe

zouti ki pou ede moun tande pi byen :
hearing aid

zouti pou gade kòl iteris (matris) ak vajen. : colposcope

zye , je : eye
    lasi : eye discharge- "sleepies"